円丈落語全集

三

DU BOOKS

まえがき　『円丈落語全集３』刊行によせて

昭和五十三年……もうずいぶんと昔の話だ。ひょんなことから大学の落語研究部に入った僕は、渋谷の公園坂にある「ジァン・ジァン」という、キャパ二百に満たない小さな劇場に出かけた。当時のジァン・ジァンは東京の文化の発信地のような場所で、音楽、芝居、舞踏など、様々なジャンルの人達が熱のあるパフォーマンスを展開していた。

その頃よく観に行っていた劇団の公演を調べるため、手にした月間スケジュールに「実験落語」という名前の落語会を見つけた。「ジァン・ジァンで落語もやるんだ……」そのくらいの感想だったが、実験落語というタイトルも魅力的だったので、聴きに行くことにした。そこに現れたのが三遊亭円丈師匠だった。

子供の頃から吉本新喜劇やドリフターズやコント55号が好きで、落語に対してなんの知識も無かった僕は、東京に来て生の落語に触れて、落語が面白いものだということは理解していたつもりだったが、実験落語での円丈師匠の高座は衝撃だった。

それまで僕は、落語は時代劇に出てくるような漠然とした江戸時代や、新作なら学校や会社での、日常における失敗や成功の滑稽なお話しだろうと決めてかかっていたのだが、円丈師匠はそうでは無かった。インド、埼玉、宇宙、様々な事柄をモチーフとした世界で、様々な感情を持った登場人物（あるいは円丈師匠自身）が真っ直ぐに悩み、もがく姿が描かれていた。落語とは、自由な発想と自由な表現方法をしていいんだということを、体現してくれたのだ。名作『ぺたりこん』や『インドの落日』等の作品は文学的でもあり、知的でクリエイティブで、僕が持っている落語のイメージを一新させられ、魅了された。

円丈師匠の落語はまさに革命だったのだが、本来落語はそういうものだったんだと思う。落語がどうやって生まれたのかはわからないが、家元や宗家といった人が存在しない芸能で、元々自由な世界だったと思う。しかし、組織化されたり評価の対象になるにつれて、落語は落語だったはずなのに、いつの間にか「古典落語」なんて言葉が生まれ、さらに「本寸法」な落語が良いなどと言われるようになって、落語は急に自由度を減らしてきたのだと思う。

落語ファンは古典落語ファンであって、文楽、志ん生、円生といった、いわゆる昭和の名人の芸が最高到達点で、落語家もそこに到達しようとする者を良しとした。しかし、そんな狭いマーケットに支えられた業界が繁栄するわけが無く、落語の人気は低迷し、そこに「漫才ブーム」という日本の笑いを方向転換させるような一大ムーブメントが生まれる。普段着の若者が、身の回りの出来事をネタとした等身大のＭＡＮＺＡＩが流行ると、一般の人達から落語は、「着物を着た生温い笑いを提供するオジサン達」と、見られるようになっていった。そのタイミングでの円丈師匠の主張には、強烈なインパクトがあったのだ。

落語は自由だ。この思いを持って落語家になった僕は、僕と同じように円丈師匠に感化された落語家達と共に、新作落語を志すことになる。

しかし、創作活動は過酷だ。真っ白な原稿用紙から言葉を紡いで、笑いを交えながら、誰も聴いたことのないストーリーを生み出す事の難しさといったら例えようが無い。前に作った作品がウケていればいるだけ期待値は上がり、苦しさが増していく。

円丈師匠もそうだったのだろう。それでも高座で闘う姿を、何度も何度も見せていただいた。常に新作落語の可能性を信じて高座に上がり続ける姿は素晴らしかった。

新作落語の盟友、林家彦いち君は、ある新聞の円丈追悼文の最後をこう締めくくっている。

「円丈師匠から学んだもの、それは勇気である」

同感だ。円丈師匠は、古典落語至上主義者のものだった落語に楔を打ち込み、落語本来が持っていた自由を示してくれた。それは苦難が伴うものだったが、最後の最後までファイティング・ポーズをとり続けて高座に君臨し、その姿は、我々新作落語を志す者に、書き続ける勇気を与えてくれたのだ。

いわゆる古典落語がいかに素晴らしいものかを、本当に知っているのは新作落語家だと思う。なぜなら落語をこの手で生んだことが、ゼロから落語を絞り出したことがあるからだ。何世代か前に生まれ、数え切れないほどの落語家が演じながら、付け足し、無駄な箇所は削られた古典落語と、今日書き上げた新作落語とでは、完成度に差があるなんてことは百も承知。それでも、古典落語には無かった世界を表現したいから書くのである。

司馬遼太郎の小説で、日本陸軍の礎を作った大村益次郎を書いた「花神」の中に、

「一人の男がいる。歴史が彼を必要としたとき忽然と現れ、その使命が終わると人急ぎで去った。もし維新というものが正義であるとしたら、彼の役割は津々浦々の枯木にその花を咲かせてまわることであった」＊

とある。維新を新作落語に変えたら、まさに三遊亭円丈師匠だ。漫才ブームでテレビから落語家が消えた時、バラエティ番組やCMに登場していた円丈師匠。僕らのような後を追いかける者に新作の花を咲かせ、古典も新作も同等に聴いてくれるお客さんが増えた頃、円丈師匠は僕らの前からいなくなってしまった。

新作落語の象徴的存在を失った僕達が出来ることは、新作活動は尊いという気概と勇気を持って創作活動を続けることだけである。

公益社団法人　落語芸術協会会長　春風亭昇太（円丈チルドレン）

＊司馬遼太郎『花神』（新潮文庫、2002年改版）より引用・抜粋

目次

カバー写真　北澤壯太

本書は円丈師匠が遺した台本を元に構成されていますが、読みやすさの観点から新字体を用いている箇所があります。また、現代の感覚からは不適当と思われる語句や表現もありますが、作品が発表された年代を鑑み、台本通り記載しております。作品中には実在の人物、団体、場所などが一部登場しますが、落語はフィクションだがね～。

三遊亭円丈一門系図

- 六代目 三遊亭円生 一九七九年没
  - 圓楽 二〇〇九年没
  - 円窓 二〇二二年没
  - 円弥 二〇〇六年没
  - 春風亭一柳（元 三遊亭好生） 一九八一年没
  - 生之助 二〇〇九年没
  - 川柳川柳（元 三遊亭さん生） 二〇二一年没
  - 円丈 二〇二一年没
    - らん丈（元 丈々寺↓乱丈）
    - 白鳥（元 にいがた↓新型↓新潟）
      - 青森（元 あおもり）
      - ぐんま
      - 東村山
    - 丈二（元 小田原丈）
    - 色物弟子 ガッポリ建設・小堀敏夫（元 ぐん丈）
    - 天どん
      - ごはんつぶ
    - 究斗（元 あろー↓亜郎）
    - 彩大（元 ぬう生）
    - 丈助（元 たん丈）
    - れん生（元 玉々丈↓めぐろ）
    - 色物弟子 はらしょう（元 はら生）
    - ふう丈 ※師匠没後天どん門下へ
    - わん丈 ※師匠没後天どん門下へ
  - 円龍 二〇二一年没
  - 円好 二〇〇七年没
  - 生吉（廃業）
  - 小生（廃業）

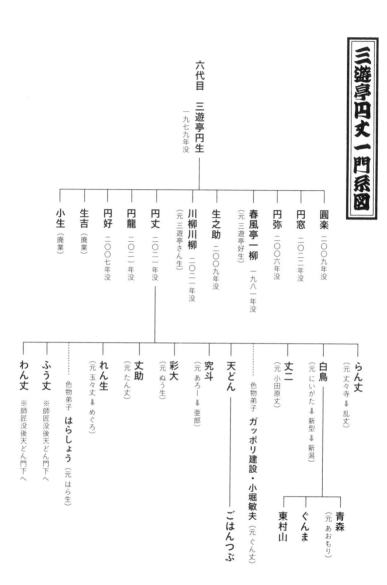

東京足立伝説《とうきょうあだちでんせつ》

●二〇〇二年初演・二〇〇七年改

この噺のアイデアを思いついたのは一九七〇年代で、
実際に作品ができたのが二〇〇二年。
アイデアから作品になるまで、三十年以上かかった噺。
土地ネタの円丈作品の中でも、少し傾向が違う作品。
とにかく一本、叙事詩落語というのを作りたかった。
当初考えていたのと少しイメージが違うが、
それなりに巧くできたと思う。
東京、そして足立区の天地創造の頃の噺で、
伝説がつく天地開闢《かいびゃく》落語。

Legend Of Tokyo Adachi

東京というところは、地図的にとてもわかりやすいですね。東京を横断するようにＪＲの京浜東北線が走っていて、蒲田までは全て東京、それを過ぎると多摩川があって、その先は神奈川の川崎なんです。一方反対側は、北区の赤羽までが東京で、荒川を越えるとその先は埼玉県になる。つまり、多摩川と荒川に挟まれた部分が全て東京！　とてもわかりやすい！……と思ったら、それがそうでもないんです。

私が住んでいるのが東京都足立区！　この足立区の都は、北千住なんです。地下鉄千代田線で北千住までが足立区で、その先の荒川を越えてもまだ東京都足立区。うそだ！　絶対にうそだ。荒川を越えたここが、東京都の訳がない。おれは信じない。と、そう思って足立区に住んでもう三十五年！　住めば都。いいとこです。

今日はこの世界の天地創造から東京、そして足立区の創世期を描いた『東京足立伝説』というお噺です。それでは、はじまり、はじまり～！

とうきょうと～！

昔々、遥か太古の昔、世界にはまだ何もなく、一面が泥の海だった頃、神様はおっしゃったそうな。

神様「はじめに足立ありき～～～っ」

すると、最初に足立区だけが現れた。
この野郎、いくら自分が足立区に住んでるったって、最初に足立が出てくる訳ねえだろ⁉ いや、そんなことを言ったたって、あたしが言ったんじゃない。神様がそうおっしゃったんですから。そして神様はまたおっしゃったそうな。

神様「次に、ついでにその他の大地ありき〜〜〜っ」

すると、ついでに足立以外の全ての大地が出現した。そして、神様がオリーブの葉についた朝露を大地に一滴を垂らした途端、植物がササ〜ッと生い茂り、鳥や獣、人が暮らすようになった。
その頃の世界はできたてホヤホヤ。まだ東京23区は場所もはっきりと決まってなくて、適当に地面も動いていた。ですから港区の隣に群馬県の高崎市があったりして、

港区「なんで高崎が東京にいるんだよ」
高崎「今日は大阪出張の帰りで」

なんだかよくわからない。そんな東京23区創生の頃のお噺。

最初に作られた足立にはまだ人は住まず、ただ葦だけが生い茂る見渡す限りの湿地帯。その足立には二本の川が流れていました。それが、男川の荒川と女川の中川。男川と女川。男と女の関係は不思議です。ある時、この荒川と中川が恋に落ちた。

うそつけ！　川が恋に落ちる訳ないだろ?!　そういう顔をしていますが、違うんです。この世界の創世の頃は、山も川も生きて動いていたんです。ですから、富士山とヒマラヤが相撲を取ったなんて話は有名です。日本の本州にどっかりとヒマラヤが居座って、富士山はしょうがないから北海道にいたんです。それで怒った富士山が、ヒマラヤと相撲を取ったのです。そこでヒマラヤをエイッて投げたら、ブ～ンと飛んでってインドの山奥に落ちた。その時ヒマラヤは痔だったんです。ドスンと落ちた時にあまりの痛さにヒャッ！　と背が伸びたんです。それがエベレストになったという話が残っているぐらいですから、川が恋に落ちたってなんの不思議もないんです。

この父なる荒川と母なる中川が、激しくお互いを求めあった。

ドドドド～～～！　ドドピチョドドピチョピチョ～～～！

こうして荒川と中川は、一本の川に下流でしっかりと結ばれた。翌年、この二本の川の間に子供が生まれた。それが、あの綾瀬川です。もうほとんどのお客さんはお忘れでしょうが、つい七、八年前まで、建設省調べで全国汚い川のワースト・ワンです。しかも十年間チャンピオンだった醜い汚い綾瀬川。そのため、荒川と中川の間に夫婦喧嘩が絶えなかった。

荒川「こんな汚い川ができたのは、お前が四万十川と浮気したせいだろ！」
中川「あんな川、四国じゃないの。あなたこそ、アマゾン川となんか変よ！」
荒川「どう変なんだ、この浮気女！」
中川「言ったわね、この変態男！　引っ掻いてやる。ペリペリピャ〜ン！」

ドッピョンパッピョン、ドドピチョドドピチョピチョ〜〜〜！

こうしてこの二本の川は毎年氾濫を繰り返し、上流から肥沃な土を運んできて足立は豊かな土地になった。神様はこの足立に、東京都民として二人の男女をおつかわしになった。それが区民の先祖、アダとチク！　二人とも神様が選んだだけあって話し方は上品で、しかもとびっきりの美形の男女。とても足立区民と思えない二人だった。ところがある日、絶対飲んではいけないと神様から言われていた、あの禁断の綾瀬川の水を、

アダ「この水、少しならいいでしょう」
チク「そうですね、飲みましょう！　お上品にコクッ！」

と、一口飲んだ瞬間！

アダ「ぐっ……、あんれ、まあ、はあ、オラたち、どうしたべえ！」

と突然、二人が訛りだした。しかも肌の色は黒くなり、顔はクシャッとなり、鼻は団子っ鼻！

お互い顔を見合わせて、

チク「あり、おめえはどこの田舎モンだ？」

と言い合った。これを綾瀬川の呪いと言っております。

そして数百年の歳月が流れ、この足立を束ねる村長八代目アダは、ある日息子と一緒に荒川の河川敷に立っていた。

アダ（八）「おお我が息子よ！　お前も立派な若者になった。お前にもいよいよこの世界の秘密を教える時がきた」

息子「父さん、それをオレは知りたい。この世界がどうなっているのか」
アダ（八）「いいか、教えてやる。この世界は、父なるアーの荒川と、母なるナーの中川によって作られた。そして荒川から東京寄りの我々が住んでいるとこをホント足立、そして川の向こうがウソ足立」
息子「ウソ足立？」
アダ（八）「このホント足立とウソ足立が、世界の全て。アジアもアメリカも日本もない。足立区だけ。これが全世界。見よ。ドデカいなあ」
息子「どこがドデカい？　小さいよ」
アダ（八）「何を言うか。それに見ろ！　この大都会北千住の賑やかなこと！」
息子「北千住のどこが大都会だよ。ここには家が四軒しかないじゃないか！」
アダ（八）「三軒から大都会になる！」
息子「何言ってるんだよ。なら教えてくれ。この荒川の先はどうなっているんだ」
アダ（八）「……、では教えてやろう。この遙か足立の先、墨田の川で行き止まり。その先は大きな壁があって星が貼り付けてある」
息子「うそだ。ここが北千住なら、南に行けばきっと南千住がある筈だ！」
アダ（八）「ドキッ……、鋭い。確かに墨田の川の向こうにも、更なる大地がある。お前の兄さん二人もあの墨田の川を越えて出て行ったが、戻って来なかった」

息子「父さん、オレはここを出て行く。聞いたのだ。あの墨田の川に先のどこかに数千数万の人が住む幻の都があるという。オレはそこで暮らす」

アダ（八）「お前までも出て行くのか。わあ、これは足立の呪いだ。ぎゃ〜〜〜っ、どぼ〜〜ん！」

と、村長八代目アダは悲しみの余り、荒川に身を投げて死んだ。その村長の左のアバラから埼玉県民が生まれ、肩甲骨からは、健康な江戸川区民が生まれたそうな。

こうして息子は足立を後にし、幻の都を求めて旅立った。やがて墨田の川を越えて土手に登り、その風景に息を呑んだ。目の前には原始の東京。もう見渡す限りの大樹林がどこまでも続き、その遙か先には霊峰富士の山がそそり立っていた。

息子「何だ、これは？　このとてつもない大きな樹林の、どこかに幻の都があるというのか？

よし行こう。おっ、あれは何だ？」

見ると突然、その大樹林がバリバリバリ〜〜ッ！　と真っ二つに切り裂かれ、上の方から大きな練馬区がドンブラコッコと流れて来た。

練馬「わ、わあ、わあ、おれは練馬区だあ。助けてくれ〜〜っ。流される！　このままズ〜ッと流れたんじゃ伊豆七島になっちまう。わあ、止めてくれ〜〜っ！」
息子「なんだ、練馬か。ハハハッ、練馬ならいいや」
練馬「薄情者〜！　て、てめえ、足立区民だな。野郎、どうするか見てろ。こんな足立の大地なんか切り裂いて進んでやる。それっ、バリバリバリ」
息子「こら、練馬、大事な足立に何をする！」
練馬「やかましい。今度戻ってきたら覚えていろ！　足立区民め、バリバリバリ」

足立区と練馬区。ともに23区の田舎でありながら妙なライバル意識があるのは、実はこの時芽生えたそうな。

気を取り直して森に入ると、直ぐに木こりの住む小屋があった。

息子「すいません、あの、この辺に南千住というところは？」
木こり「南千住？　ああ、そこにあるだろ。ホラ、ゴミ溜めの横」

木こりの指す方をみると、二坪ほどのところに縄が張ってあり、そこには、南千住建設予定地！

息子「えっ、まだできてない？」
木こり「そうらしいなあ。この森を行くのか？　だったら三ノ輪にいる洟《はな》垂れ女に気をつけろ。男と見ると結婚したがるからな」
息子「はあ、洟垂れ女が？　それはどうも」

更に森を進むと、三ノ輪の道の真中に洟垂れ女が！

洟垂れ女「ジュルジュル〜ッ、さあ、この先を通りたくば、アタイのなぞなぞに答えなさい。ジュルジュル〜ッ。べチョズル〜っ（鼻水を手で横に拭く）」
息子「汚ねえ女だな。なぞなぞ？」
洟垂れ女「そうだよ。しかも難しいぞ。生まれた時二十三本足で、生きている時は0本足で、死ぬ時六百二十六本足の生き物はな〜んだ？　……なんて簡単な謎じゃないぞ！」
息子「それ難しいよ！　むちゃくちゃ」
洟垂れ女「いいか？　私はノワという輪っかを三つ持っている。ノワを三つ持ってる私の名前は、何ノワ？　イチノワでもニノワでもない。さあ、正解はナニノワでしょうか？」
息子「ふ〜〜〜ん、ミノワ！」

洟垂れ女「正解よ！　いやあ、めでたいわね。しかも私を奥さんにもらえる豪華賞品付き！　さあ、こっちへいらっしゃい。ズルズル、若い男でヨダレもポタポタ！」
息子「ま、ま、まずい！」
洟垂れ女「まあまあ、このミノワのそばにイリヤ！　三ノ輪に入谷に上野に仲御徒町」
息子「何を日比谷線みたいなことを言ってるんだ。逃げろ〜っ」
洟垂れ女「待て〜っ、よ〜し、この三つの輪をピュッ、ピュッ、ピュッ！」
息子「スポスポスポッ！　あれ、いけない。輪っかがはまって動けなくなったぞ。コテン」
洟垂れ女「こんな奴は、足を掴んで地面にゴンゴンゴン！　ゴンゴンゴン！」
息子「イテテテ〜〜ッ」

　すると叩かれた地面がぷ〜〜〜っと大きく膨れ上がり、これが上野の山。そして洟垂れ女の垂らした鼻水が、あの不忍池になったそうです。

洟垂れ女「どうだ、私を妻と認めるか？」
息子「はい、認めます」
洟垂れ女「よし、これで結婚式は滞りなく終わって……」
息子「なんだ、今のが結婚式だったの」

洟垂れ女「それでは引き続き、洟拭きの儀式に……」
息子「洟拭き？　嫌な予感がするな」
洟垂れ女「お前の着ているもので、洟をゴシゴシゴシ」
息子「わあ、汚ねえな〜〜。ああ、気持ち悪い。……おっ？」

洟を拭き終わった瞬間、あの洟垂れ女が、キラピラピラピラ〜〜〜っ、世にも美しい絶世の美人、ミノワ姫に変っていた。

息子「わあ、すんごい美人だった」
ミノワ姫「そうだよ〜〜ん。あたしゃあ、いい女なんだから〜あ」
息子「なんだ、しゃべり方はおばさんのままだよ」

こうしてミノワ姫と結婚をして、今度は二人で幻の都を探すことになった。しばらく歩いていくと葉がバラバラ落ちる原っぱにやってきた。

息子「葉がバラバラ落ちる。うん、ここはハバラバラだな」
ミノワ姫「何言ってるの。今、秋でしょ。だから秋葉原じゃない！　そういう名前でいいだろ」

息子「はい、そうして下さい！」

すっかり尻に敷かれてしまったんですな。

更に旅を続けると、今は盛り場になっているある場所に来た。そこは二頭の巨大な妖怪が暴れることで有名な村。その妖怪の名は、「胃袋」と「毛袋」です！　胃袋毛袋って、これがどこになったか、もうおわかりですね。この胃袋毛袋がいたんですから。ただ、中には勘違いしてる人が一人ぐらいいいそうですね。

お客「ああ、胃袋毛袋で、六本木！」

全然違うだろ！　もちろん、胃袋と毛袋で池袋です。とにかく大きな胃袋と、毛皮の袋の化け物です。昼は洞窟に棲んでいる。この洞窟を知らずに入ると、驚くのなんの。みんなが驚く。この洞窟が、後の池袋のビックリ・ガードになったんです。

村人「お願いです、旅の方。妖怪胃袋と毛袋を退治して下さい。胃袋毛袋は、何でも飲み込んで食べ尽くしてしまうんです。あっ、また胃袋毛袋が来たぞ。逃げろ～～っ！」

すると向こうから胃袋が芋虫のように、

胃袋「い〜〜っ、ぶっくろ、ぶっくろ、い〜〜っ」

そのあとから毛袋が、

毛袋「け〜〜っ、ぶっくろっ、ぶっくろ、け〜〜っ」

間抜けな妖怪ですが、これをホントに見たら怖いですよ。

息子「なんなんだ、こいつらは。待て！　お前たちのような悪い妖怪は退治してやる。さあ、それではうちの鬼嫁を紹介します。どうぞ」

ミノワ姫「なんだよ。あんたは、司会専門かい？　こら、毛袋！　お前にはこの輪っかで退治してやる〜う。ピュッ、ピュッ、ピュッ！」

スポスポスポッ！　毛袋は、体を締め付けられた。三週間ほど前に食べた大きな龍が五十匹くらい、こなれずに腹の中にいたのが、締め付けられ押し上げられ、ピュ〜〜ッと飛んで行って、墨田区の方にガチャガチャガチャと積み上がって、これがスカイツリーになった。

もう一頭の胃袋には、
ミノワ姫「ふん、お前なんか、私の鼻水で溶かしてやる。どうだ！　グルル〜ッ」

ミノワ姫が胃袋に鼻水をつけた途端、ボカッと胃袋に穴が空き、中にいっぱい詰まっていた水がドド〜〜ッと流れ出した。

胃袋と毛袋は死んだ。そして、この死んで干からびた胃袋と毛袋を材料にして、西武デパートと東武デパートができたそうな。

一方、息子とミノワ姫は流れ出た大量の水に、
二人「ドドドド〜ッ、ぎゃ〜〜〜っ助けて！」

と一直線にズ〜〜ッと流され、谷にド〜ンとぶつかった。そのショックで口に小さな岩がポロッと入った。

息子「わっ、渋い！　あっ、渋谷だ」

なんと池袋からまっすぐ一気に渋谷まで流されたんです。その流れた跡に道ができて、こうして明治通りができたんです。
少し歩くとガヤガヤの森にやってきた。ここの森の木はお喋りで、ガヤガヤとうるさい。

木1「ガヤガヤガヤ、オレはイチガヤガヤガヤ！　お前は？」
木2「おれはセンダガヤガヤガヤ！　そっちは？」
木3「ワシは、セタガヤガヤガヤ。そっちは……、」

ってうるさくてしょうがない。誰が何をしても、この森の木たちはお喋りを止めない。

息子「カアちゃん、こいつらうるさいよ」
ミノワ姫「そうだね。こらっ、うるさい！　うるさいとこのミノワ姫様の鼻水をこすりつけるよ！」
木1「溶かされるガヤ。怖いガヤ。逃げろガヤガヤ！」

木はガヤガヤしながら逃げていった。どこへ逃げたか、イチガヤガヤガヤが止まったところが市ヶ谷になって、センダガヤガヤガヤが止まったとこが千駄ヶ谷。一番怖がりだったオジヤガヤガヤはなんと、新潟県まで逃げたそうです。
このガヤガヤの森からは、木が一本残らずなくなってタダの原っぱ。これが原宿になったそうです。
するとそこに、なんと虎が一頭寝ている。
息子「なんで原宿に虎がいるんだよ。ヘンだよ、原宿に虎がいたら」
ミノワ姫「三越にはライオンがいるの。原宿に虎がいたっていいじゃないか、さあ、行くよ！」
と、またしばらく歩いていくと、道に財布が落ちていた。
息子「おい、ここに財布が落ちてるぞ」
ミノワ姫「ラッキーじゃない。この財布、もらっとこう！」
すると、原宿で寝ていた虎が一目散に走ってきて言った。
虎「ガオ～ッ、こら！　それは、お前のもんじゃないんだ！」
ミノワ姫「じゃ、このサイフはナニノモノだい？」

虎「おれは虎だけど、ナニノモンって、もう今更言うのは、なんか照れちゃうな」
ミノワ姫「なに虎のくせに照れてんだい。これはナニノモンだか言ってごらん」
虎「じゃ、恥ずかしいからお客さんと一緒に言おうかな。サン、シイ〜ッ、言うね」
ミノワ姫「早くお言い！」
虎「じゃ言うぞ。これは、サン、シィ、虎ノ門だあ〜〜っ！」

そう言った瞬間、そこからド〜〜〜〜ッと虎のレリーフをほどこした大きな門柱が現れた。

ミノワ姫「あらっ、門が現れたよ。もしかしてこの門が、あの幻の都の入り口じゃないの？」

息子「そうだよ。あっ、あそこになんか書いてある？　なになに……、ええ、虎ノ門病院入口！

なんだ病院だよ」


やはりそこはあの幻の都ではなかった。そして、それから幻の都探しで日本全国を二百年間歩いた。昔の人は長生きですな。

ある日のこと、二人は大きくて立派な土手のある川を越える。そこにはなんと、遂にあの幻の都があった。何万の人が暮らす大都会。

息子「遂に見つけた。これぞ、探し求めていた幻の都。なんという賑わいだ。ああ、もし、この都はなんという名前でしょう?」

通りすがりの人「この都の名前も知らん? 田舎もんだな。ここは花の足立、オシャレな北千住じゃ」

息子「げっ、オシャレな北千住! じゃ、あれから二百年たったら、こんな立派な都になっていたのか? あんたたちはどこから来たんで?」

通りすがりの人「おらたちは、港区、世田谷から来た田舎モンじゃ。今日は、みんな大都会の北千住に憧れて足立参りさ」

息子「えっ、足立参りに?」

なんと、まだエジプトやメソポタミアの文明が起こる遥か昔、世界最初になんと足立文明が興り、日本中、いや世界中から足立参りにやって来たという『東京足立伝説』の一席、本日はここまで。

足立区六町の自宅前にて

奇跡の噺家
柳家ヘレン

きせきのはなしか　やなぎやへれん

●一九八二年初演・二〇〇九年改

ヘレン・ケラーの伝記映画『奇跡の人』の落語版。
見えない、聞こえない、話せない三重苦のヘレンが噺家になるという噺。
どうも最近、差別とかがよく問題になるんですが……、
この噺も差別になるといえばなる、ならないといえばならないという、
これまたよくわからない。ただ、放送されることは決してありません。
円丈は別に、この噺が差別だとは思っていない。
これは差別の落語ではなく、真実の落語なんです。

Miraculous Hanashika
Yanagiya-Helen

それでは本日は『奇跡の噺家　柳家へレン』という、ごく短いお噺で。それでは始めます。この噺は、一度引っ込んでから落語が始まる訳で。

なんで高座を降りるんだ？　そういう顔をしてますが、これは一度下がる落語なんです。一度サガリネタなんです。それで降りて、そのまんまウチへ帰ると詐欺になりますから、安心して下さい。円丈は必ず戻ってきます！　下がって、もう一度上がる。もう一度上がるその時は、もう円丈ではありません。その辺よろしく！　どうよろしくだ。

もう前置きが長くて本題が短いという、円丈の典型的なパターンです。では『奇跡の噺家　柳家へレン』の、はじまり〜、はじまり〜！　さようなら、直ぐ戻ってきますからね。

（……と言って一度高座から降りる。

出囃子が鳴ると、再び上がって来る。

前座に手を引かれヨタヨタと登場し、手探りで座布団を触りながらわざと後ろ向きに座る。それを前座に注意され、客席の方を向き直してお辞儀する。　※この辺臭くやります）

えー、えー、お笑いを一席申し上げます。奇跡の噺家、柳家へレンでございます。あたしはご覧の通り、目が見えません。耳も聞こえません。うまく話せません。三重苦で奇跡の噺家と言われております。そんなあたしは、なぜ落語家になったか？　実は母が三重苦の私をとても心配しまして、私をなんとか社会人として自活させようと考えてました。

とはいえ、仕事といってもなかなか見つかりません。とにかく三重苦ですから、ただ座って無駄話をしてお金が入る仕事がいいだろうと。インターネットで調べたら、落語しかありませんでした。そこで母は、

母「お前はオチガタリ（落語）をやりなさい」

と、言います。オチガタリって、な～に？　と母に聞くと、

母「きっと身の上相談のようなことをするのでしょう」

母も私も、落語の「ら」の字も知りませんでした。

母は、立川談志師匠のところへ連れていこうとしたのですが、月謝はとる、上納金はとる。それでいて噺はほとんど教えないという噂を耳にしたのでやめました。そこでヤフーで検索すると、人間国宝・柳家小さんという人がいる。ここに弟子入りして、一緒に横に座れば準人間国宝になれる。ある日のこと、母は私を小さん師匠の家の玄関に置き去りにしました。

師匠は私を、渋々弟子にしました。ヘレン・ケラーを模して、私に柳家ヘレンという芸名を付

けました。しかし私には、致命的な欠陥がありました。私には、ダジャレというものが理解できませんでした。師匠の小さんは、教えるのに随分苦労しました。ギャグがよくわからないので、うまく小噺が喋れなかったのです。ある日のこと。私を空き地に連れて行きました。

小さん「いいかヘレン！　お前はまだダジャレの意味がわかってない。ダ・ジャ・レ！」
ヘレン「ナ・ダ・レ」
小さん「ナダレじゃねえ、ダジャレだ！」
ヘレン「だ、だ、だ、だーもすいません！」
小さん「三平じゃねえか。いいか。ダジャレ、ダ・ジャ・レ！」
ヘレン「ダ・ジャ・レ」
小さん「そうだ。そのダジャレの意味がわからねんだな。いいか、これが（地面を叩く仕草）空き地だ。ア・キ・チ」
ヘレン「ア・キ・チ」
小さん「そうだ。そしてこれが、囲いだ。カ・コ・イ」
ヘレン「カ・コ・イ」
小さん「そうだそうだ。いいか、向こうの空き地に囲いができたってね、へ～だ。やってみろ！」
ヘレン「学校の囲いに空き地ができたってね。うん、空き地光秀」

小さん「何言ってるんだ、おめえは！　ヘレン、違うんだ。いいか、カ・コ・イ！　へ・イ！　だ。」
ヘレン「へえっ、そうですか」
小さん「おめえがへえって言ってどうするんだ。わからねえ奴だな。いいか、ヘレン！　カ・コ・イ！　へ・イ！　だ」
ヘレン「へえ？」
小さん「まだわからねえのか。めんどくせ。いいか。ブリッ！（おならをし、それを嗅がせる）へだ」
ヘレン「わあああ、くちゃい！　へ？　へ・イ」
小さん「（今度は囲いを叩く）カ・コ・イ！」
ヘレン「カ・コ・イ？　……へ・イ？　……囲い、塀、囲いで塀！　……あああ、わかった」

こうしてやっとダジャレがわかるようになり、なんとか落語ができるようになりました。しかし困ったことが一つだけあります。それは、耳も目もダメなので、お客さんの反応が全然わかりません。

そこで最初、お客さんに携帯を渡して、おもしろかったら私の持ってる携帯に電話をしてと言って落語をやったのですが、耳が聞こえないので電話がきてもわかりませんし、仮にわかっても一人のお客さんしかわかりません。

そこで考えついたのが、手話ではなくヒモ噺。お客さんにヒモを持って頂き、その引き方でコミュニケーションを取ります。早い話、鵜飼みたいなものです。お客さんにヒモを持ってもらい、おもしろかったらそのヒモを引っ張ってもらうのです。これが、ヒモ噺の基本です。

ここにヒモがあります。これをお客さんに持ってもらい、おもしろかったらヒモを引っ張って下さい。なるべく大勢の人が持って下さい。

（と言いながら、指先に括り付けたヒモを客席へ。両手の指に一本ずつ、計十本を客席につたわせる）

この頃は以前と比べ芸も上達し、爆笑王と言われています。先日はあまりにおもしろいのでとてもよくウケ、引っ張られ過ぎて舞台から落ちました。その爆笑小噺を今日はやってみます。まずその前にヒモ噺の基本練習です。最初に拍手。これはヒモを細かく早く引きます。これが拍手です。まず少しヒモを張り気味にして下さい。いいですね。では拍手〜〜！

（客にヒモを細かく引かせる）

皆さんは素人ですね。もっと細かくたくさんです。拍手〜〜！

（もう一度引かせる）

こんなモンでしょう。

では笑いの方にいきましょう。まず、ややウケです。私が、あああと言います。そうしたら一回軽く引っ張ります。これがややウケの引き方です。ではいきます。あああで引きます、あああですよ。ああああ……、

（客にヒモを引かせる）

二列目のお客さん、少し強過ぎます。二列目って、見えてんだろう。いえ、見えてません。勘です、勘！

次は爆笑する時。爆笑する時は、少し強目に二回引いて下さい。二回です。いいですね。ではあああああ……、

（客にヒモを引かせる）

そこのメガネを掛けたお客さん、五回引きました。じゃあ、見えてるだろ！　って、勘です、勘！

そしてもう一つ、祝儀を切る時の引き方。最近のお客さんは祝儀という美しい伝統を知りません。祝儀とは、芸人に上げる現金のことです。お前に祝儀をやるよ、という場合は、ゲ・ン・キ・ン！　と四回強くハッキリと引きます。では、現金の練習をしてみましょう。強くハッキリと四回！　ゲ・ン・キ・ン！

（客にヒモを引かせる）

今のはとても弱いです。絶対出したくないという気持ちがひしひしと伝わってきます。それから、今夜お前を飲みに連れてってやるという場合の引き方は……、そんなことより、小噺やれ？そうですね。とにかくこのヒモ噺、きちんとマスターすれば、高座でお客さんと身の上相談までできてしまいます。

ではでは、いよいよ爆笑小噺です。いいですか？　爆笑は強く二回、ややウケは軽く一回！では、自慢の小噺です。

すずめが暑い時、どうするの？　すすめ〜〜っ！

あ〜あ〜、ウケない！　あの、おもしろいのに笑いを我慢しちゃあダメですよ。

今度こそ、おもしろい大爆笑の小噺。

トンボが帰ったね！　わかってても言っちゃあダメ！　これがほんとのとんぼがえりだ！

あああ、バカにしてる。この右の中指のヒモの人、帰りたがってますね。
では最後のトリの小噺。前座さん、次で終わるよ。

一番早く来て、そのイスに座った人はセキトリ

ああ、ウケてるウケてる。え？　お前、自分の手でヒモ揺らしてるだけだろ？　あっ、わかった？
前座さん、終わったよ。私帰りたい。
柳家ヘレンの三重苦落語はこれでおしまいです。ああ、前座さん。今夜どっかに飲みに連れてってくれる？

『奇跡の噺家　柳家ヘレン』口演の様子

イタチの留吉

いたちのとめきち●一九九三年初演・二〇一四年改

Itachi no Tomekichi

円丈ヒット作の中でも、わりと評判が良いようです。
主人公留吉のキャラが落語に合い、
安定性があるのではないかと思います。
このキャラクターの元は、昭和五十五年、
池袋演芸場で十日間の三題噺をやった時にできた
『いけねえおじさん』という噺。
おもしろいキャラなので
『イタチの留吉』として復活させました。

僕は一九四四年、昭和十九年生まれ。随分生きてます。中学生の頃よく、「戦後、女と靴下が強くなった」と言われてました。そして二十年ほど前に、「オバタリアン」という言葉が流行しました。おばちゃんが強くなって、モンスター化してしまったんです。そして二、三年前から、「肉食系女子」がでてきた。

圧倒的に女性優位で、一方、今や男は見る影もない。しかし、昔はおじさんが元気で。もう野性的でワイルドなおじさんが随分いました。近所の犬猫を平気で食っちゃう。

「赤犬は美味いが、スピッツはまずいな!」

自分で捌いて食っちゃうんですから。中には、

「カラスは美味いが、食べ過ぎると胃がもたれる」

なんておじさんもいる。すっかりグルメだったりしまして。もう昔のおじさんは、動物イコール食料。ホンモノの肉食系男子だったんです。

それに地域社会に対して責任感を持ってますから、知らない他所の子供にビシビシ小言を言ってました。おじさんの大半は「どこの子だおじさん」でしたね。

「悪い子だな、そんなコトして。どこの子だ!」

この「どこの子だ」と聞かれるのが、当時は子供の最大のウィーク・ポイントでした。ですから「だーもすいません!」って先代の三平師匠みたいになったりしまして。

そして、噺家になってしばらくして知り合ったおじさんが、説教する元ヤクザ! 近くのおで

ん屋へ行くと、よくこの説教する元ヤクザのおじさんに会いました。この元ヤクザのおじさん、手首まで入れ墨があって、江戸っ子でした。入れ墨を褒めると、

「いけねえ、いけねえ。これだけは入れちゃいけねえ！」

お前、入れてるだろう！　他にも、

「若えうちは勉強しなくちゃいけねえ」

「人生は一生ベンキョーだ！」

「親には孝行しなくちゃいけねえ」

お前はどうなんだ！　でも、好きでした。話してると肌の温もりを感じる人でした。今は妙にストーカーみたいなのが増えてきて、ギスギスした時代になってきましたが、それはこうした肌の温もりの伝わる人がいなくなったせいではないでしょうか？

そこで今日は、かつて元気だったおじさんを、現代に一人復活させてみましょう！　もちろん、今言った説教する元ヤクザのおじさんを蘇らせます。

さあ、では皆さん、大きな声で、三、四で、「説教する元ヤクザのおじさーん！」と呼んでみましょう。なんでそんなことしなくちゃいけないんだ？　もうストーリーに組み込まれてまして、これをやらないと話が先へ進まない。では大きな声で、三、四で言ってみましょう。では皆さん、三、四、

説教する元ヤクザのおじさーん！

あ、おじさんの声が聞こえてきました！　そろそろ出そうです。

留吉「ジャ〜〜ン！　へへへッ、三十九年ぶりに出所をすることになった。なにい？　なんで三十九年も入っていたかって？　それが、看守の奴が俺の刑期、三年九か月と三十九年とまちげえたって、へへへッ、バカな話よ。おう、サブ！　イタチの留吉と言われたこの俺様も、いよいよ明日出所することになったぜ！」

サブ「オジキ、おめでとう！　だけど、俺は心配なんだよ。三十九年のムショ暮らしだ。その間、新聞どころかテレビだって見てねえだろ？　だからすっかり浦島太郎になっちゃってんだよ。あと四、五日出所を延ばしてもらって、少しシャバのことを勉強して、シャバのリハビリしてから出た方がいいぜ。世の中変わったぜ。東京なんてエライ変わりようだ」

留吉「なにい？　東京が変わった？　東京がどう変わったんだ。東京が名古屋になったってえのか？　みんなで毎日、焼き鳥の山ちゃんを食いだしたとか……」

サブ「いや、そーゆーことはないよ！　だけどオジキは、今の日本の総理が誰だか知ってるのかい？」

留吉「当たり前だ。日本の総理といやあ、吉田茂よ」

サブ「何言ってんだよ、今はその吉田茂の孫が外務大臣をやってる時代だぜ。なんか心配だな」
留吉「何を言いやがるサブ！　いくら俺がムショが長くったってな、新幹線ができたぐれえのことはちゃんとわかってらぁ！」
サブ「え、新幹線を知って？」
留吉「当たり前だ。なんでもえれぇ勢いで走るそうじゃねえか。きっと、石炭をいっぱい焚いてよ、なんだ坂こんな坂、なんだ坂こんな坂、ポッポーッ！」
サブ「そりゃSLだよ。しょうがねえな。三十九年ムショにいてボケちゃったよ」
留吉「それに今の時代、スシが回るぐれえは知ってるんだ」
サブ「じゃ、回転寿司を知ってる？」
留吉「当たりめえよ。スシの真ん中に心棒がついてて、それを回すとクルクルッて回転するんだ」
サブ「いや、そういう回転じゃねえよ。なんだか心配だな。え、でも、どうしても明日出所してえ？　しょうがねえなあ。じゃあ、わかった。オジキに紹介状を書いといたから。はい、これね。俺の義理の兄キが、新宿の歌舞伎町で事務所持ってんだよ。で、これを渡してさあ、そこでしばらく体を休めて、それからゆっくり身の振り方を考えればいいよ」
留吉「サブ、すまねえな。恩に着るぜ！」
サブ「それより、いいかいオジキ、世の中変わったんだから。いいね。世の中変わったよ」

留吉「ヘッ、わかってらぁー！」

　留吉は翌日出所して、その日の夕方には新宿歌舞伎町に立っていた。

留吉「あのサブの野郎、世の中変わった変わったたって、変わり過ぎじゃねえか。看板なんかみんな英語になっちめえやがって、まるでゲーコクじゃねえか。俺様はこう見えたって昔は、ここらのゲームセンターで散々鳴らしたもんよ。ところが、どこのゲームセンターに行っても、輪投げがねえんだよ。俺は、輪投げがないのは、ゲームセンターとは認めねえ！　それに、どの盛り場にもあった純喫茶マイアミって、どこへ行ったんだよ。あの泥水のようなコーヒーが懐かしいなあ。走れトロイカを歌った歌声喫茶はどこへ行ったんだ。軍隊酒場が見当たらねえ！　それに、今の日本人は漢字が読めねえらしい。昔の映画は漢字で日活と出たのが、今はひらがなで、に・つ・か・つ、何がにっかつだ。さっきから紹介状を届けようと事務所探してるんだが、所番地は確かにこの辺にちげえねえんだが、すっかり浦島太郎でわからねえ。看板が英語……、こんなもんが読めれば三十九年もムショにいるかよ！　そうだ、あすこにいる兄ちゃんに聞いてみるか。おう、若ぇ衆！　若ぇ衆！」

若い男「ワケーシ？　……、ボク！」
留吉「そーよ。おう、この看板、なんて読むんだ？」
若い男「あっ、これ？　マクドナルド！」
留吉「何？　マックロケッケ！　なんだそのマックロケッケって？」
若い男「いや、違います。ここはハンバーガー・ショップ！」
留吉「何？　バンバカチョップ？　なんでえ、そりゃ。力道山の新しい空手チョップか？　違う？　ああ、この店は食いモン屋か。へん、食いモン屋なら食いモン屋らしく、なんで満腹ホールとかタラフク食堂とか小粋な名前を付けねえんだ。なあ、お前もそう思うだろ？　え、思いません？　変な奴だな。おう、兄ちゃん、どーもありがとよ。
俺も腹が減ったから、ここで何か食べて行くか！……おっと。これが自動ドアってのか。今日初めて知ったんだよ。苦手なんだ。開いて入るだろ、パッと首を挟まれそうで、怖くてしょうがねえんだな。……行くぞ、エイッ！……おっと助かった。とんだ命拾いをしたぜ。
おっ、随分客がいて繁盛してるじゃねぇか。……なんでえ、なんでえ、みんな突っ立って食ってやがる。ゴザでも敷いて、靴脱いで座って食う方がいいじゃあねえか。行儀の悪い連中だぜ。あすこで注文するようだな。じゃ、何か頼んでみるか」
店員「いらっしゃいませ。ご注文をどうぞ！」
留吉「おう、兄チャン！　おめえ、どっか体が悪いのか？　肺病病みか？」

店員「えっ、肺病病み？　なんです？」
留吉「だから体が悪いのかってんだよ」
店員「いえ、健康です」
留吉「そんなら食いモン屋らしく、ヘイ、ラッシャイッ！　ラーメン・ライス大盛り～！　とか言えねぇのか。まあ、おめえも血を吐くような修行をして、いい職人になりな！　……へっへっへっ、兄ちゃん、いけねえよ。若えうちは気取ってて、人より変わったことをしたがるもんよ。いけねえ、いけねえ。部屋の中で帽子を被っちゃいけねえよ」
店員「いえ、これは店の規則で、みんな被ることになっているんです」
留吉「あっ、ホントだ。みんな進駐軍の帽子みてえなのを被って……、お、アマッ子まで被ってやがる。この店は不良の巣窟だな」
店員「あのう、ご注文をどうぞ！」
留吉「じゃあ、豆大福といなり寿司くれ！」
店員「あの、当店ハンバーガー・ショップでございまして……」
留吉「バンバカチョップだろ？　なんでえ？」
店員「ですから、当店はハンバーガー専門のお店でして」
留吉「なんでえ、そのパンパーガーってえのは？　そのパンパーガーってえのは、日本語にするとなんてんでぃ？」

店員「え、日本語にすると……、日本語にしますか？」
留吉「してみてくれぃ！」
店員「ハハハ、ハンバーガーは、日本語にできないです！」
留吉「できねえ？　このヤロー！　日本語にもできねえような、訳のわからねえモンを食わせようってーのか！　そいつはどーゆーもんなんだ！」
店員「は、はい、ここにメニューがございます」
留吉「何を？　メニューだ？　兄ちゃん、いけねえよ。メニューだなんてシャレた英語を使ったところで、わかるのは俺とおめえだけだ。これからはお品書きと言いな！」
店員「はい。このお品書きに写真がありますから、その中からお選び下さい」
留吉「何？　写真で選べ？　そりゃ親切でいいじゃねぇか。まるで昔の吉原みてぇだ。おめえも散々通ったクチか？　えっ？　なかなかすみに置けねえじゃねえか。
おい、おっ、こ、こ、これは、天然色写真じゃねぇか！　高かったろ～？
おっ？　このアンパンの腹を割いたようなのが、ハンバーガーってえのか？
腹なんか割いて、パンが痛がるんじゃねえか？　これ、うめえのか？　よし、じゃあ、これをもらおう！」
店員「ハイッ、ビッグ・マックでございますね！」
留吉「ビックリケッケだ？　だれがビックリケッケなんか頼んだ。俺が頼んだのはハンバーガーだろ！」
店員「当店では大きめのハンバーガーにビッグ・マックという名前を付けて売っております」
留吉「それじゃ、大盛りでいいじゃねえか。小せえ方が並。その方がわかりやすいじゃねぇか。ようし、じゃあこれをくれ。で、いくらなんだ？」
店員「はい、三百四十円です」
留吉「な〜に〜？　パン一個で三百四十円だあ？　いいか、パンなんてぇものは、一斤二十円か三十円と相場が決まってるんだ。三百四十円といやあ、鶏肉が六百匁《もんめ》も買えるし、白砂糖が三斤半買えるんだ。ふざけた野郎だ！」
店員「いいえ、三百四十円は他の店と比べても決して高い値段じゃないんですから、ホントです」
留吉「……まんざらウソでもなさそうだな。よし、これをもらおう！」
店員「毎度ありがとうございます。では、お会計を三百四十円頂きます！」
留吉「ここに三百五十円ある。するとおつりはいくらになる？　十円か。じゃあ、お前には世話になったから十円は駄賃にやらぁ」
店員「はあ……」
留吉「おう、俺はな、あすこいるから持って来てくれ！　何？　自分で持ってけ？　客をなんだと思ってやんだ！　テメエなんぞこの店の丁稚《でっち》だろ。丁稚の分際でフザケた野郎だ。カンベンしねぇ！」

店員「わかりました、お持ちします。特別に！」

留吉「何が特別だ。お客様のところに料理をお出しするっていうのが、あきんどの真心ってぇやつだ！　早くしろ！　しょうがねぇ奴だ。

お、この横にいる兄ちゃん、食べ終わった食器をゴミ箱に捨ててやがる。とんでもねえ野郎だ。おう、兄ちゃん、食器をゴミ箱に捨てちゃあいけねぇ。おめぇのウチじゃ、食べ終わった後、箸と茶碗を捨てるのか！　……何？　この店の食器は使い捨て？　ふ、まあいい。今度からは気をつけな」

客「どっちが気をつけるんだ」

留吉「へへへ、訳のわからねえ時代になったもんだ。お、俺の隣で可愛い坊やが何か食ってらぁ。坊や、いくつだい？　小学校二年生！　ハハハッ。坊や、いい子だな。子供のうちに腹いっぺぇ食べて、大きくなったら荒木又エ門のような立派な男になるんだぜ。うん？　荒木又エ門ってだ〜れ？　知らねぇのか、オメエは！　だからよ、丹下左膳のような強え男になるんだ……、そんな人聞いたことない？　だからよ、鞍馬天狗のような正しい人間に……、鞍馬天狗知らねえ。じゃあ、誰なら知ってんだ？　巨人のマルチネス？　誰でい、そのマルチネスって？　え？　ラミレス？　いいか、そんな不良外人と付き合っちゃあいけねえ。

ところで、今日はオッカチャンと一緒かい？　一人？　えれーな。小学二年で、たった一人この店に、グスン。そうかいそうかい、おめえの家は貧乏で、夫婦共働きってやつか。お父っつぁんは横浜の本牧ふ頭で沖仲士《おきなかし》よ、背中に南京袋、重いバナナの房を背負って、可愛い息子に、例え鉛筆の一本でも買ってやりてぇ。

一方、オッカチャンは町から町へのシジミ売り。しじみー、しじみー。あの子は今頃元気でいるだろうか。ククク、泣かせる話だぜ。あれ？　どっか行っちゃったよ。愛想のねえガキだな。

おう、来た来た。これがハンバーガーか。おっと、ちょっと待ちな。置いていっちゃうってことがあるか。待て、紙に包んであるが、紙ごと食うのか？　え、紙は食いません？　じゃあ紙を剥いてくれよ。俺は不器用なんだよ。おう、ありがとう……、な、なんでぇこりゃ？　これがおめえの言ったビックラケッケか？　随分積んであるなぁ……、お？　菜っ葉なんか挟まっちゃって、鶏のエサじゃねェのか？　この肉は豚の肉？　豚の肉なんて、人間が食っても大丈夫か？　腹痛にならねぇか？　腸チフスになるとか？　何、でぇ丈夫、おう、ありがとうよ。

ヘッ、日本人もこんなモンを食うようになっちゃおしめぇよ。こりゃあどうやって食うんだ？上から順に食うのか？　まず、このパンの頭をめくってよ……、なんだ、違うな。全部団体で食うのか。こりゃあ難しい食いモンだな。しかし食いにくいな。鼻にペチャとくっつきそうだ……、（周りの客を見て）縦じゃねぇ、横に食うんだ！　食い方の礼儀作法は難しいもんだな。もぐもぐもぐ……、う、うーんぐぐぐ、うめぇ！　世の中に、クジラカツよりうめぇモンがあるとは知らなかったぜ。うーん、うめぇ。こんな料理は、結婚式に出したって恥ずかしくねぇぜ。よし、気に入った。この店を贔屓にしてやろう。
さてと、この紹介状をなぁ……、お、なんでぇ、へへへッ、この店だ。ここの店の名前が書いてあらぁ。なんだ、つまらねぇことをしたな。その店で何か食ってやがる。へへへ。そーか、さっきの兄ちゃんに聞いてみよう。おう、ちょっくらものを尋ねるがなぁ」
店員「また来たよ、このおじさん。はい、なんでしょう？」
留吉「組長を呼んでくんな！」
店員「いいえ、組長はいません。店長がいます」
留吉「店長？　組長より偉そうじゃねえか。じゃあその店長さんを呼んでくんな！　ハハハッ、やっと話が通じそうだな」
店長「何？　えっ？　店長の私に変なおじさんが面会？　忙しいんだよ。……あのう、私が店長ですが、何か？」
留吉「初めてお目にかかります。アッシはイタチの留吉というケチな野郎でござんすが、サブの奴の紹介でこちら様にワラジを脱がしていただくことになりまして……、早速ワラジを脱がして頂きます」
店長「脱がないで下さい。マクドナルドでワラジを脱いだ人は初めてだね。何かの間違いでは？」
留吉「へへッ、この紹介状にこちら様の店の名前が書いてあるんで！」

店長「ちょっと拝見を……、えー、悪戸成造《あくどなるぞう》、違うでしょ！　当店はマクドナルド！　書いてあるのは悪戸成造！　全然違います」
留吉「いやぁ、大体合ってる」
店長「大体じゃいけないんですよ。名前というのは、全部合ってるから同じなんです。大体でよければ、小泉純一郎と泉ピン子が同じになっちゃうでしょ？　それじゃ困るじゃないですか。う〜ん、忙しいのにな……、わかりました。この際、あなたを時給七百五十円で雇いましょう！」
留吉「えっ？　時給七百五十円ってことは、クジラカツが十六枚買える！　一生懸命奉公させて頂きます」
店長「じゃ、頼むね」
こうしてとうとうマクドナルドに就職したという、『イタチの留吉出世物語』というおめでたいお噺でございます。

噺家と万歩計

はなしかとまんぽけい ● 二〇一三年初演・二〇一七年改

落語会にゅの第一回オープニングイベントまで
三、四日しかないが、ネタ下ろしをしたい。
そこで、先日思いついた
「万歩計」のネタをやろうと思う。
（註：初演時タイトル『万歩計』。再演時改題）

Hanashika And Pedometer

今日は『噺家と万歩計』という噺です。もし、噺家が万歩計を持ったらこんなことになるだろうという、ごく他愛もないお噺で。

ある中年の噺家、還暦も過ぎて六十五歳も見えてきた。するとやって来るのが、住んでいる足立区でやってくれる無料の健康診断。これを受けたら、その数値が悪いのなんの！　担当した医者が脅かすのなんの。

医者「君ね、最近、健康番組でタレントが、健康診断を受けてあなたの平均余命はあと十年、えっ、たった十年ですか、というのがあるだろ。君の場合は、十年もないよ。四年もない。二年もヤバイ」

噺家「えっ、二年、ヤバイ？」

医者「そうだよ。君はオプションで血管のＭＲＩ画像を撮ったろ？　その時、動脈瘤が十六個見つかったんだ。それも熟しきって弾ける寸前。最短どのくらいでパンクするのか計算したら、早くて二分十三秒後！」

噺家「えっ、二分十三秒後？　先生ホントですか？」

医者「はい、うそで〜す」

噺家「なんで医者がうそをつくんですか！」

医者「いいかね、君は自分の健康の数値がどんなに悪くても、他人事のような顔をしているだろ。

だから脅かしてみたんだ。とにかく、今の生活を続けると余命はあと三年になる。いいね」
噺家「はい、わかりました」

これでうちに帰ってくると、今度はもうおかみさんが、怒る怒る！

女房「だから言ったでしょ！　健康だけは当人でないとダメなんだから。どうするの？　まだこの家のローンだって残っているんだから！」
噺家「えっ、うそ？　ローンはとっくに払い終わったって……」
女房「あれは気の小さいお父さんにショックを与えないように払い終わったって言っただけ。ローンを払い終わるのは、お父さんの百五歳の誕生日！」
噺家「おい、そんなバカな！」

この師匠には二人のお弟子さんがいまして、弟子というのが、師匠の寿命にはナーバスなんです。なにしろ、師匠に死なれると新しい師匠のとこへもらわれていって、その師匠から一文字もらって芸名まで変わっちゃう。しかも、新しい師匠はちゃんと可愛がってくれるか？　もう継母にもらわれていくシンデレラみたいなもんですから大変です。ですから、師匠の健康には敏感なんです。

そこで、おかみさんとお弟子さんが相談して、師匠に万歩計を持たせてちゃんと歩かせるように監視しようということになりまして。
それから十日ばかりたったある日、仕事先に二人の弟子が、フラッとやってきた。

噺家「なんだ、なんだ、一番丈。二番丈と二人揃って、今日はどうしたんだ?」
一番丈「もちろん、師匠がちゃんと歩いているかどうか監視に来たんですよ」
噺家「嫌なこと言うな。でもはじめのうちは使い方もよくわからず全然歩数が伸びなかったけど、このところコツを掴んで歩数がグングン伸びて来た。この万歩計のAボタンで歩数が出る」
一番丈「師匠、そりゃ嬉しいですね。Aボタンで? これですね。ええと36? 師匠、36って、体温計ですか?」
噺家「体温計じゃないよ、万歩計だよ万歩計! それは最初の頃、操作がわからなかった頃の数だよ。Aボタンを押して送ってみろ。変わるから」
一番丈「えっ、このボタンで……、ああ、変わった。118、次が、98! 師匠、これ、血圧計?」
噺家「血圧計じゃないよ、万歩計だよ! ボタン押してドンドン送ってみろよ。歩数が伸びてるから」
一番丈「そうですか……、108歩、125歩、160歩、220歩、314歩、456歩!」
噺家「どうだ、456歩だぞ。456歩も歩けるのは、足立区じゃおれだけだ!」

一番丈「何を言ってるんですか、師匠。万歩歩くから万歩計なんです」
噺家「あのな、おれは弟子の前では見栄もあるからドーンとしていて、トイレなんかもサッサッと行くけど、弟子が帰ったことを確認するとドテーンと倒れ、仕事のある日までそのまま寝るんだ。トイレなんかは摺って行く！」
一番丈「摺って行くって、イモムシですよ。でも師匠、今日の仕事は2ステージで間に三時間の休みがあるから、その間に少し歩くんでしょ？」
噺家「いや、おれもそう思っていたんだ。ところがこの頃、ギャラが下がって仕事時間が長くなってんだ。なんと今回のこの仕事、持ち時間は一時間が二回で、二時間の高座だぞ！　もうとても疲れて歩けないよ」
二番丈「あのう、師匠、そろそろ出番です！」
噺家「おう、二番丈。そうか。じゃ、この456歩歩いた万歩計を一番丈に預けておく。盗られるなよ」
一番丈「誰も盗りませんよ。ハイ、師匠、ご苦労様です！」
二番丈「ご苦労様！」
一番丈「師匠、お疲れ様でした」
二番丈「お疲れ様です！」

噺家「ああ、ありがとう。一時間は疲れる。やっぱり疲れて歩けないな。おう、万歩計か？　なあ、これでステージの間に少し歩きゃ歩数も増えるんだけどな……、３４５６歩！　あれ？おい、これ上がる前は４５６歩だったろ。それが今３４５６歩って、おい、これ、３０００歩増えてるぞ。なんだい、これは？」

一番丈「あっ、師匠、すいません、出過ぎたことしちゃって。今日の師匠は忙しくて、なかなか歩く時間がない。そこでいつも世話になってる弟子の一番丈が、ささやかな師匠の恩返しとして、師匠の代わりに３０００歩ほど歩いておきました」

噺家「えっ、オレの代わりに一番丈が歩いてくれたの！　そりゃ嬉しいなあ。さすが、一番弟子の一番丈だ。嬉しいね。でもさあ、師匠の万歩計を弟子が歩いて、果たして効果があるのかね？」

一番丈「それなんです。私もそれが心配でしたから、師匠の代わりに弟子が歩いて効果があるかどうか？　それで、この万歩計のマニュアルを隅から隅まで読みましたが、どこにも本人の万歩計を他人が歩くと効果がないとは書いてないから、効果はあるんです！」

噺家「あるのか？　いやいや。嬉しいなあ。一番丈、効果はありますと断言するとこがスゴイ！」

一番丈「それから、最近師匠は肩の付け根が凝るといってましたから、肩の付け根をマッサージをしながら歩いて来たんですが、どうですか肩の付け根は？」

噺家「あっ、スゴイ楽になった。いや、一番丈、ありがとう！」

二番丈「(これ、まずいぞ。一番丈兄さんは、ヨイショがうまいんだ。一番丈兄さんだけ、ズッポリ師匠にハマっちゃったよ。こらまずいぞ。こりゃ、二番丈としてもなんとかしないと……)あのう師匠?」

嘶家「なんだ、二番丈、どうした?」

二番丈「あのう、一番丈兄さんだけに歩かせては申し訳ないですから、今度はあたしが、代わりに少し歩いて来ましょうか?」

師匠「なんだ、二番丈、今度はお前が歩いてくれるのか? 悪いなあ」

二番丈「いや、喜んで、行って来ま〜〜す! ……、師匠、只今、戻りました!」

嘶家「おっ、二番丈、大分ゆっくりしてたな」

二番丈「はい、歩数を見て下さい。どうです1万3456歩!」

嘶家「なんだ、夢の1万歩超えじゃないか! 凄いな」

二番丈「はい、私は二年前までロングブレスダイエットをやってましたから。ロングブレスダイエットは腰回りにいいんです。師匠、大分、軽くなったんじゃないですか?」

嘶家「あっ、すっかり軽くなったな」

二番丈「しかもロングブロスダイエットは、腹筋にガツンときますから、どうですか、腹筋が締まってきたでしょう?」

嘶家「あっホントだ。腹筋が六つに割れてるぞ」

一番丈「師匠、腹筋が六つに割れるって、ライザップだって二か月かかるんですから。師匠、それ、それパンツのゴム跡です」
噺家「ああ、そうかパンツのゴム跡か？　ハハハハ」
一番「（こりゃまずいな。師匠にズボッとハマったと思ったら、二番丈においしいとこ持ってかれちゃったよ。よ〜し、ここは一つ巻き返そう！）師匠、二番丈ばかりに1万歩も歩かせらません。今度は、一番丈、歩いてきます！」
噺家「おう、そうか？　じゃ行って来てくれ」
一番丈「……、師匠、只今帰りました。私も1万歩あるいて2万歩超えで、2万3456歩に達しました！」
噺家「いやあ、嬉しいなあ」
一番丈「それから、師匠がこの頃、噺が覚えられないと言うので、師匠の代わりに噺の稽古をしながら歩いてきましたが、どうですか？」
噺家「何？　一番丈が噺の稽古しながら歩いてきた。嬉しいなあ」
一番「いやいや、大したことじゃありません」
噺家「ええ、根津七軒町に富本豊志賀と言う、音曲の師匠が住んでおりまして、歳がもう三十九という……、覚えた。遂に『真景累ケ淵』を覚えた！」
一番丈「えっ、『真景累ケ淵』を覚えた？　俺は『親子酒』を稽古してたんだけどな……」

噺家「何?」
一番丈「いえいえいえ、累ケ淵の稽古をしてました」
二番丈「(いや、いや、悔しいなあ。一番丈兄さんにまたおいしいとこを持ってかれちゃったよ。悔しいなあ。でも明日、あの例の万歩計を師匠にプレゼントするぞ)」
噺家「いや、いや、今日はこれでいい。運動の後はプリン体で乾杯! ワッといこう」

もう健康になってるんだなんだか訳がわかりませんで……。
次の日、一番丈が朝早くにやって来た。

一番丈「師匠、お早ようございます」
噺家「一番丈、お前はもう前座じゃないから、朝は来なくていいんだ」
一番丈「わかってますよ、師匠。実は今日、変わった万歩計を手に入れたんです」
噺家「どんな万歩計だ?」
一番丈「ハイ、これは世界一甘い万歩計なんです」
噺家「何世界一甘い万歩計?」
一番丈「師匠! 万歩計には甘い万歩計と辛い万歩計があるんです。もう2000歩ぐらい歩いたかなと思って歩数を見るとまだ1400歩とか、これを辛い万歩計というんです」

噺家「ああ、そういうのあるね」
一番丈「逆に、まだ1000歩ぐらいしか歩いてないなと思って見ると1600歩は歩いてるという、これを甘い万歩計という。今日持ってきたのは世界一甘い万歩計なんです」
噺家「世界一甘い万歩計？」
一番丈「はい、この万歩計は、大体1歩で16歩いく！」
噺家「1歩で16歩？　凄いねえ」
一番丈「そうなんです。これは製造ミスで、直ぐに製品回収となったんですが、一部が市場に流れ、その一つがここにあるんです！」
噺家「そりゃ、凄いなあ」
二番丈「（わあ、また一番丈兄さんに先を越されちゃった。よし、俺もこの秘密の万歩計を出そう）あのう、師匠！　実は私も少し変わった万歩計を持ってまして！」
噺家「二番丈、そりゃどんな万歩計だ？」
二番丈「はい、歩いてラッキー、という万歩計で」
噺家「歩いてラッキー？　変な万歩計だな」
二番丈「はい、この万歩計は、日にち、距離、歩数の列で同じ数字が三つ揃うと、三千点のボーナス・ポイントが出る」
噺家「えっ、ボーナスが出る？　嬉しいなあ」

二番丈「それに、毎日ラッキーポイントもあるんです。今日は5がラッキーポイントですから、とにかく5が一回出る度に五百ポイントがプラスになる」
噺家「凄いね。歩数も伸びるだろ?」
二番丈「はい、もうこれですと、100歩が大体6000歩になる!」
噺家「100歩で6000歩! 夢のような万歩計だね」
一番丈「(おい、二番丈もやるもんだね。こりゃまずいぞ。よ~し、おれももう一つ隠しダネの万歩計があるんだ) あの師匠! 私は、もっと凄いのがありまして、それは、扇風機に取り付けられる万歩計です」
噺家「扇風機に取り付けられる万歩計? どういうんだ?」
一番丈「これは、扇風機のフタを外してハネの部分に万歩計を取り付けられます。扇風機をオンにすれば、あとはず~っと回ってますから、大体、一時間で16万歩です」
噺家「一時間で16万歩? 凄いねえ」
二番丈「(また、一番丈兄さん、いろいろ考える。でも今日は負けないぞ。俺もとっておきの変わり種の万歩計があるんだ) 師匠、実は私も画期的な万歩計を持ってまして。それは、自分で歩く万歩計です」
噺家「自分で歩く万歩計?」
二番丈「はい、もう万歩計が人間にぶら下がって歩く時代は終わりました。これからの万歩計は、自分の力で歩く時代です。障害物があると、自分で避けます。電池が切れると、自分で店に買いに行きます」
噺家「凄い万歩計だね」
一番丈「でも師匠、自分で歩いたら万歩計じゃないですよ？」
噺家「いやいや、やめろ！　私はいろんなことを許してきたが兄弟喧嘩だけは許さん！　兄弟弟子は仲良くしろ。今回、それぞれがくれた万歩計をそれぞれの方法でもって、これからよーいドンで二時間動かして、その全て総トータルを、私が一日に歩いた歩数ということにしよう」
一番丈「凄いですね。全ての万歩計の歩数を合計しちゃっていいんですかね」
噺家「うん、大丈夫だ。全てのマニュアルを読んだが、歩数を合計してはいけないとは、どこにも書いてない。だから合計していいんだ。これから全ての万歩計をオンにして出発～っ！」
　これから二時間、全ての万歩計をオンにして測ったら、二時間でなんと102万歩！
噺家「102万歩、これで今月中の健康は間違いない。さあ、今日はこれでおしまい。ビールでカンパ～イ！　プリン体バンザ～イ！」

ってなんだかわからない。これから毎日、ビールでカンパ～イ！　って一か月ほどやってると、弟子たちに師匠から招集がかかった。

一番丈「師匠！　どうしたんですか？」
噺家「うん、どうも体調が良くない。それにここんとこ、3kg太ったんだ。脈拍も早くなったし、どうも万歩計は体に悪いんじゃないかな？」
一番丈「いや、万歩計が体に悪い訳ないですよ、健康にならない訳がないですよ」
二番丈「師匠、大丈夫です。これを見て下さい。診断書です」
噺家「おっ、この診断書、石田五郎って、俺の本名じゃないか！」
二番丈「はい、実はこの二番丈が、師匠の代わりに健康診断を受けて来たんです」
噺家「えっ、俺の代わりに診断を受けてくれたのか？」
二番丈「はい、もう医者が驚いてました。今まで何万人も健康診断してきたが、六十代でこれほど健康な人間は見たことがない。この人の健康には、私が太鼓判を押すと言ってくれました」
噺家「そうだろう、そうだろう。やっぱり万歩計は、体に良いんだ～！」

趣味のヘラブナ釣りを楽しむ円丈

アマゾンの朝は早い

あまぞんのあさははやい●一九八〇年初演

これこそ円丈作品の中で伝説の落語。そしてもっとも前衛的作品の一本。
アマゾン原住民の日常を描いたホームドラマ。
しかもこの部族は、言葉が十三しかなく、その言葉だけで語られる落語。
会話の中に日本語は一切出て来ない。
それでいて、なかなか牧歌的な雰囲気のある噺。ただこの落語は、
お客さんの半分がついて来られずに落ちこぼれてしまう。
よほど良いお客さんの前でないとできない噺。

The Morning in The Amazon Begins Very Early

地球上に秘境がなくなって随分経ちました。私が子供の頃には、まだ細々と秘境が残っていました。地球上のまだこの辺とこの辺は完全には人が行っていないという地域がありましたから。ですから、雑誌「秘境」というのがありました。見出しが凄いです。

「アフリカ、ナイル源流で水かきのついた部族発見！」

「ニューギニア奥地でしっぽの生えた原住民と遭遇！」

凄いですね。内容を読むと、

「我々は、水かきのある人間の撮影に見事成功した。が、襲われて逃げる時、カメラを水の中に落とし、フィルムがダメになった」

とか、

「しっぽ人間にカメラを食われた！」

とか、とにかく写真は撮るけど、最後、様々な理由でフィルムがボツになる。とにかく写真の少ない雑誌でした。でも、当時はことによるとそういう人間もいるかもしれないという夢を持たせました。

今までいろんな原住民を見て一番ショックだったのは、ペニス・ケースをしたパプアニューギニア原住民でした。子供心に驚きましたね。

「えっ、あのケースの中にそっくり中身が詰まっているんだろうか？　しかも二十四時間、ああいうふうに立ってるの？　それにあの国の先生は、あれを見てなんにも言わない。先生もあれをつけてる。凄い！」

と思いましたね。しかしあれは、裸でペニス・ケースだからいいんです。もし、タキシードかららにょっきりペニス・ケースだと、すんごい卑猥ですからねえ。

いつしかこの地球上から秘境がなくなり、夢とかロマンは、ＳＦとかアニメとかいう方に向いたんでしょうね。

そして、その夢とロマンをもう一度この地球上に、と登場したのが、あの川口浩探検隊でした。もう毎回凄かったですなあ。古代恐竜魚ガーギラスを追え！　絶対いねえよ、そんなの！　ガーギラスなんて取って付けたような名前はいねえよ。人跡未踏の密林に王者ターザンはいた！　いねえよ、そんなの！　原始猿人バーゴンを見た！　とか。バーゴンはいないけど、原始噺家ガーコンを見たとか。川柳さんじゃねえか！　原始前座たん丈を見た、って、ウチの弟子だよ！

今日のお噺は、アマゾン奥地に住む原住民の物語です。実は彼らは、数の概念がはっきりしない。「１」のことは少ない、「２」以上はたくさん。ですから、「１＋１＝２」なんていうのは、「少ない＋少ない＝たくさん」。「２＋２＝４」になると、「たくさん＋たくさん＝もうたくさん」になるんです。

言葉は全部で十三個しかありません。ですからこの落語を聴き終わる頃には、皆さんはすっかりこの原住民の言葉をマスターしていますから、友人同士のお喋りに、恋人との愛の語らいに、ぜひ一度ご利用下さい。

なにしろ言葉が全部で十三個しかない。まず「ダバヤ！」これは、「食う」、「寝る」、「走る」、「飛ぶ」、「笑う」という動詞。これらは全部ダバヤ。しかも、過去形も未来形も同じダバヤ。次に、「ヘレヘー」。「お前」、「あなた」、「そっち」、「こっち」、更に挨拶の「こんちわ」、「どうも」、「おはよう」、「おめでとう」も全部ヘレヘー。その上、この原住民の言語には、個人個人の名前がない！

その他、「リバリバ」が「動物」、「ピキピキ」が「植物」、「ミモカ」が「森」、「山」、「川」、「水」、「空気」なんか全部で。生活道具や食べ物は全部「ヤモカ」。

この単語がわからないとこの噺がわからない、ということはない。あんまりきっちり覚えられて、

「あっ、さっきと違うんじゃねえか？」

となると困りますからね。

ただ彼らの言語、少なくていいんですが、「君を愛してる」と「俺は屁をした」が、同じ言葉になっちゃう。まあ、そういう言葉が足りない部分はボディランゲージを使う訳ですな。

では名前がないのならお互いどうやってわかり合うのか？　もちろんアクション、ボディランゲージで示す訳です。まず酋長はコレ（オデコにいろいろこぶしをつける）、そして男はみんなコレ（腕を少し立てる形）！　コレの角度によって齢とかいろいろ使い分ける。女はみんなコレ（両手で乳房の形を作る）！　コレの垂れ方によってそれぞれを指します。子供はコレ（手の平で頭を押えるような仕草）！　この手の高さによってそれぞれの子供を指します。

アマゾンの朝は早い。父なる神、太陽が東の空に昇り、夜の邪悪な魔物たちを追い払うと彼らの一日が始まる。まずたき火の火をくぐって禊ぎをした酋長は、アマゾン川に肩まで浸かる。その川辺に部落の人たちが集まり、彼らの視線が酋長の背中あたりの水面にジ～ッと注がれる。そこで酋長は聖なるオナラをし、そのオナラの泡の立ち方と大きさでその日一日を占う。

ある日、村人たちは話し合っていました。

村人1「ヘレヘ（酋長のこと）ポコポコ、ポ～～～ッ、ノニハ、アマリャ？」
村人2「ハレヨ　ピキピキ、リバリバ～ア、アマリヤ！　ポコポコ、ポ～～～ッ、ミモカアリヤ、ノニハ、アマリャ！」

何言ってんだ、お前は？　そう、なんと言ったか？　村人たちは、
「昨日の酋長のオナラは勢いがなく小さ過ぎた。だから、鳥や獣、イモが少ししかとれなかった。今日こそ、大きな屁をしてもらいたい」
と、口々に言い合っていた。

これを耳にした酋長は、前日にイモを多めに食べ、この聖なる儀式に挑んだ。そして酋長は、ボコボコボコッと屁をした。その大きなオナラを見過ごしてしまった男が仲間に聞いた。

見過ごした男「ヘレヘ（酋長）ポコポコパカパカ、アマリャ?·」
村人1「ノニハ　バカリャバカリャボコリャカ、ドババ（大きめの形をする）！」
見過ごした男「ドババ（小さい形をする）？」
村人1「ノニハ、ドババ〜〜ッ（大きな形をする）！」
見過ごした男「ドババ（うんと大きめの形をする）ピキピキ、ドババハハ、ヘレヘレ〜ッ、ダババヤ！」

今日のオナラは大きいので村人は大喜び。太陽の神と屁の神様に祈りを捧げた。

全員「アバラバラカバヤ〜〜ッ！　ヘバラヤクニクノタレ〜〜ッ！」

村人たちが朝の祈りを終え、家ごとに別れて朝食をとろうとする頃、一人の男が起きてきた。彼は、一応祈祷師ではあったが、村人は誰一人彼の祈祷を信じていなかった。彼は狩りもイモ掘りもしない怠け者で、短い棒をまるで扇子のようにオデコを叩きながら村人たちをヨイショして、人から食べ物をたかって生きていく。食べ物をくれない時は、「ゴシュウギ」という謎の言葉を連発して、「エー」と言い、小噺のようなことを喋るという、まるで噺家のような男がおりまして。今日もみんなが食べ物をたくさんくれますようにと、ゴシュウギの儀式を行なった。

祈祷師「アバラバラカバヤ～～～ッ！　アバラバラカバヤ～～～ッ（オデコを叩きながら）アバラバラカバヤ～～～ッ（手を出しながら）！」

こうして人が食事の頃を見計らって小噺をやり、いくらかの食べ物を頂こうとやってきたが、村人たちは、彼の小噺を何度も聴いているのでウンザリしていた。

祈祷師「テヘヘヘヘッ、ヘレヘ～～ッ（男の形）！」
家の主「（もぐもぐ……）ヘレヘ！（無愛想に男の形）」
祈祷師「テヘヘヘヘッ、ヘレヘ～～ッ（女の形）！」
女房「（もぐもぐ……）（聞こえない振りしてソッポをむく）」
祈祷師「テヘヘヘッ、ゴシュウギ！　ドバハ。ゴシュウギ！　ドバハ、ヤモカ（揉み手しながら指一つだして）アマリョ。ダバヤ……、エ～～～～～、（周りが無関心なのを見て）アア、ダバヤ（拍手の形）ヘレヘ（男の形）ダバヤ（拍手）ダバヤ（拍手）～～ッ」
家の主「（もぐもぐ……）（相変わらず食べながら）パチパチ！（いやいや拍手をする）」
祈祷師「ヘレヘ（女の形）ダバヤ（拍手）～～ッ！」
女房「（もぐもぐ……）（ダレながら）パチッ！　……パチッ！」
祈祷師「ドババハ、アマリャ（指一本出し、少し緊張しながら）エ～～～、ヤモカ、ミモカハレヨ

〜ッ、ヘレヘレ〜ッ……（気まずそうに周りを見る）」
家の主「（もぐもぐ……）（無関心に変わらず食べる）」
女房「ア〜〜、アマリャ（指を一本出し）エ〜〜〜、ダバヤ、リバリバ〜ア、ノニハ？ ピキピキ〜〜ッ！ ドバハ（主人に）？」
家の主「……（憤然として芸人をにらみつける）」
祈祷師「ドバハ？（女房に）」
女房「……（横むいて知らんふり）」
祈祷師「……ア、ゴシュウギ、ヤモカ？」
家の主「ダバヤ（追い払う仕草）、ダバヤ〜ッ！！」
祈祷師「ダバヤ！ ……アバラバラカバヤ〜〜ッ、今日の客はセコイよ〜〜っ！」

と言いながら、祈祷師はまた別の家へ入って行った。

とある一軒の家で揉めごとが起こった。亭主が浮気をしたという。浮気という言葉はないのでコレ（左手を頭の上につけ、穴を作り、右手をそのアナに入れる仕草）で表現する。

妻「（泣きながら）ヘレヘ（女の形）ダバヤ、ウンドコチャヤカポコチャヤカチャヤカチャ！ ノニハ〜〜〜！」

夫「ノニハ　ヘレヘ（自分を指差す）ヘレヘ（女の形）ウンドコチャカポコチャカチャカチャ！　ノニハ～～！」

妻「（泣きながら）ヘレヘ（女の形）ダバヤ、ウンドコチャカポコチャカチャカチャ！　ノニハ～～！」

夫「ウンドコチャカポコチャカ！　ノニハ～～！　ノニハ！　ノニハ！」

妻「ヘレヘ（男の形）ウンドコウンドコウンドコウンドコ！」

夫　ウンドコウンドコウンドコ、ノニハ！　ドバハダバヤミモレピキピキハレヨ！」

と大揉めしているところに、女房のオヤジ（義父）がやってきて訳を聞き、夫にことの真相を確かめた。

義父「ヘレヘ（男の形）ヘレヘ（女の形）ウンドコチャカポコ（浮気の仕草）！」

夫「ノニハ！　ウンドコ（浮気の形）ノニハ！　ウンドコチャカポコ（と腕を輪の中に入れず、そらす）」

義父「（疑わしそうに）ウンドコ（そらす仕草）？　ウンドコ（そらす仕草）……、ウンドコチャカポ、コピッピ（中に入れる仕草）！」

夫「ノニハ、ウンドコ（そらす）ウンドコ（そらす）ハレヨ（本当だ）！　ハレヨ！」

義父「ウンドコ（中に入れる）？」
夫「ノニハ、ウンドコ（そらす）、ウンドコ（そらす）ハレヨ（本当だ）～～ッ！」
義父「ウンドコ？　ハレヨ？」
夫「ドバハドバハドババハ、ハレヨ！」
義父「ハレヨ～～～～～～！」

そして少し経つと、夫婦二人は和解して、義父と三人で和解の儀式をめでたく行なった。

三人「ウンドコチャカチャカ、スッポンポン！」（笑点のメロディ）

この日は、部落で悲しいことがあった。それは、この村で一番年老いた女が死んだのである。そこで広場に村人みんなが集まってきた。歌いながら死者を悼むのだった。

バンブバンブバ～～ンブブンガバンバ～～～ン（太鼓の音）

全員「アバラバラカバヤ～～～ッ！」

バンブブバ〜〜〜〜ン（太鼓の音）

全員「アバラバラカバヤ〜〜〜ッ！」

そして酋長が祈りの言葉を捧げた。

酋長「ノニハ〜〜ッ、ヘレヘ〜ッ、ダバヤダバタ〜、ドバハアア、ミモカ〜〜ア、ヘレヘレ、ダバヤヘレヘレ、ハレホ、ピキピキ〜イ、アバラバラカバヤ〜〜ッ！」

バンブブバ〜〜ンブブンバンバ〜〜〜ン（太鼓の音）

村人３「（泣きながら）ノニハ〜〜〜ア！」
村人４「（泣きながら）ノニハ、ノニハアア！」
祈祷師「へへへッ、ゴシュウギ、ミモカ、エ〜〜〜ッ！」
酋長「ダバヤ〜〜〜ッ！」
祈祷師「……、ダバヤ！　ウエ〜〜〜ン！　ノニハア。アバラバラカバヤ〜〜ッ。こんな客じゃしょうがね〜〜え！」

彼らは、悲しいことも嬉しいことも全て分かち合うのでした。
そこに別の部族がやってきた。

別族「ヘレヘレ〜ッ（酋長の仕草）？」
酋長「ヘレヘレ！（うなずく）」
別族「ヘレヘ、ダバヤ（死んだ仕草）？」
酋長「ハレホ〜〜オ」
別族「ヘレヘ（男の仕草）」
酋長「ノニハ（首をふる）」
別族「ヘレヘ（女の仕草）」
酋長「ノニハ（首を振る）ヘレヘ（うんとおっぱいを引きずる仕草をする）ノニハ（うんとおっぱいを引きずる）」
別族「ヘレヘ（同じ仕草）ウエ〜〜〜ン！　アバラバラカバヤ〜〜〜ア！」

こうしてこの老婆の葬式は、三日間ぶっ通して行なわれることになった。その近所で遊んでいた子供が怪我をして、母親のところにやってきた。

子供「ウワ～～ン、ヘレヘ（女の形）ドバハ、ダバヤ！」
母「ヘレヘ（子供の形）、アッ、ウオ～～ッ、ヘレヘ、ヘレヘ、ヘレヘ！（みんなを呼ぶ）」

母親は村人を呼ぶと、みんなが集まってきた。ここでは悲しみも痛みも、みんなで分かち合う。父親は母親に聞いた。

父「ヘレヘ（子供）ダバヤ（傷の形）ドバハ？」
母「ヘレヘ（男の形）ドバハ、（向こう脛を蹴飛ばす）！」
父「アッタタタタ、ヒ～～ッ、ウエ～～～ン、ヘレヘ（男を呼ぶ）ドバハ！」
村人5「ヘレヘ（自分を指して）ドバハア？」
父「ドバハアアア～ア！　ズコッ（ミゾオチを突く）」
村人5「ウッ、（ミゾオチを押さえる）ドバハハア！　ヒ～～～～ッ、ドバア！　ヘレヘ（祈祷師）？　ダバヤ（来い）！」
祈祷師「ヘレヘ（自分を指す）ゴシュウギ？　ヤモカ？」
村人5「ノニハ！　ヘレヘ（子供の形）ドバハダバヤ～～ッ！」
祈祷師「……（その雰囲気を察して）、ヘレヘ（自分をさす）ノニハ！（遠慮しとくと言うような手振り）ノニハアア！」

村人5「ダバヤ（来いという仕草）！　ペッ（そばにある棍棒を持って）ダバヤ〜ッ！」
祈祷師「ヒッ、ノニハノニハノニハアア〜〜ア」
村人5「ウ〜〜ン、ドバハアア！（思い切り叩く）ドバハドバハ（数回棒で叩く）」
祈祷師「クエエエエ〜〜ッ、アチャアパヤパヤ。ドバハドバハ〜〜アアア（腹を押える）ウエ〜〜〜ン」

　こうして部落中の人間で痛みを分かち合いながら大騒ぎをするのだった。はるか有史以前より絶えることなく、それはまるで我々現代文明を否定するかのように流れ続ける大アマゾンの彼方に、父なる太陽は、母なる大地の内懐に、今まさに優しさを求め沈みゆくその頃、太陽に感謝し、明日も昇ってくれるよう、夕暮れの儀式を行なう。

全員「アバラバラカバヤ〜〜〜ッ！」

三桁の母

みけたのはは●一九七九年初演

一九七〇年代後半に演歌「岸壁の母」がヒット。
その落語パロディ版。
少年野球をテーマにしています。
これは、少年野球が華やかだった頃の作品です。
演じた当時はそれなりにウケたのですが、
果たして、今やってウケるのか？
全く自信がありません。
「岸壁の母」のモデルになった人は端野いせさん。
帰らぬ息子が、新二さん……、
落語も説明するようでは、もうダメだね。

The Mother of Three Digits

端野いせ子さん三十四歳は、息子新二が補欠で入っているリトルリーグの名門、保木間エンジェルスの試合に、必ず来ていた。いせ子さんの家系は運動神経が鈍く、亭主は更にそれに輪をかけて鈍かった。それだけにスポーツに対する憧れが逆に強く、野球が大好きで、選手の中では、特に、カッ、カッ、カッ、カッ、のカケフさんが大好きで、息子の新二を必ずプロ選手にして、あんな大選手に育て上げるのが夢だった。そこでリトルリーグの名門である保木間エンジェルスに入れたのである。

しかし、運動神経のひどく鈍い両親の血を受け継いだ新二は、ひどくひどくひどく極端に、絶対に文句なく鈍く、その上ガニ股短足鈍足豚足と救いようがなくダメだった。

百六十九人の大所帯、名門保木間エンジェルスに入って彼についた背番号は１６９番！　この新二のお母さんを、人々は「三桁の母」と呼んだ。

〽母は来ました　今日も来た
このリトルリーグに　今日も来た
出ないゲームと知りながら
もしやもしやに　もしやもしやに　引かされて

母は見物人に聞いてまわった。

母「あの、エンジェルスの端野新二を知りませんか？」
見物人①「そんな端野なんて奴は知らねぇ」
母「どなたか、背番号169の端野新二を知りませんか？」
見物人②「169番って、補欠も補欠、大補欠だろ！　知らないよ」
母「やっぱり、誰も知らなかったねぇ。新二〜！」

　母は、一日も早く一桁の背番号で正選手になってほしかったが、背番号169の新二の現実はあくまでも厳しく、ただグラブやバットを運ぶ野球用品アッチャコッチャ係だった。
　しかし、それでも半年後、背番号161になった。遂に新二は、ポジションにつりることになった。それは「タマ拾い助手」という立派なポジション！　母は苦心の末に、大リーグタマ拾い養成ギブスを新二の体に取りつけた。

母「いいかい、一日も早くタマ拾い助手を抜け出して、正タマ拾いになるんだよ！」
新二「はい、お母さん。僕は必ずタマ拾いの星になってみせます」
母「何て素直な子だろうねえ、新二」
新二「お母さ〜ん！」

〜呼んで下さい　タマ拾い〜

そして、正タマ拾いを目指して血の滲むような猛練習の日々が続いた。拾うことに慣れるために、シケモク拾いにゴミ拾い、郊外に出りゃ落ち葉拾いにクリ拾い。落ちているものは何でも拾える訓練をした結果、三か月後には、遂に正タマ拾いへと昇進した。

更に激しい訓練を重ね、タマ拾い対外試合で優勝し、なんとあの、びっくり日本新記録タマ拾い競技で一分間千二百個のタマを拾い日本一になり、どんな草むらの中でもタマを一発で探し出せるようになった。犬のジョン以外に負けることはなく、正タマ拾いの地位を不動のものにした。

新二の背番号は１０８番まで上がってきた。99番までいけば、やっと、あの夢のポジション、補欠補佐に上がれる。仮に40番までいけば、ヨダレの出そうな正補欠になれる！

そんな時、運良く三人が翌年の私立中学受験で辞め、一人が骨折で辞め、自動的に１０４番まで上がってきた。

更に母親は、酒好きの監督をビール券五枚で買収して１００番！　あと一人、あと一人で三桁の母から二桁の母になれる。それと同時に、タマ拾いから晴れて補欠補佐になれる。

補欠補佐も時間の問題とみた監督は、新二に守備練習をさせてみた。すると、新二の致命的な欠陥が発見されたのだった。

動かないタマは世界一うまく取れるが、動くタマは絶対に取れない！
そこで監督は、背番号を再び108番へ戻した。

母「新二！　私についておいで。お前を生涯一タマ拾いで終わらせたくない。今日から大リーグボール元禄寿司強化訓練を行なうから！」
新二「はい！」

母は早速、ぐるぐる回る元禄寿司へ新二を連れて行った。

母「いいかい、お前は動くものが取れない。これを克服するんだよ。じゃ、回ってきたイカを取って」
新二「は、はい！」
母「バカ！　それはタコじゃないか！　今度はカッパをお取り！」
新二「は、はい！」
母「それはイクラだろ！　一番高いのを取って、勘定が大変じゃないか」
新二「ごめんなさい！」

二人で八千九百円食って帰ってきた。そして三か月後、遂に、

母「イカだよ！」
新二「はい！」

と、イカが取れるようになった。母親は更にあの回る機械を買い、回るスピードを徐々に上げ、最後はかなり早いものを取れるようになった。
だが、これにも欠点があった。ぐるぐる回りながら動くものは取れるが、ボールのように一直線に転がってくるものは全然取れない。そこで母親は、またまた大リーグボール流しソーメン強化訓練をするために、川へ連れて行った。

母「いいかい、川はぐるぐる回らないから、ここで訓練するよ。ソーメンを流すから、箸で取るんだよ！」
新二「はい！」

息子も必死だった。この訓練はグングン効果を上げ、一か月もする内にどんな激流でも確実にソーメンを取ることができるようになったのだが、またまた致命的な欠点が発見された。

箸でないとボールが取れない！

あと一歩のところで、息子はリトルリーグを辞めて中学へ進学。そして高校、大学、どれも野球の名門校に入ったが、相変わらず背番号は三桁だった。

母親は「一桁の母」にはなれずじまい。しかも息子は電卓の会社に就職したので、とうとう「八桁の母」になってしまったという、人情噺『三桁の母』でございました。

80年代円丈、伝説的な落語会のチラシ

寄席沈没

よせちんぼつ●二〇〇六年初演・二〇〇七年改・二〇一五年改

その年は八月上席新宿のトリで頑張って、
本当に疲れていて、
ネタおろしの会まで二日しか時間がなかったが、
なんとか書き上げる。
その頃封切られていた映画『日本沈没』の
パロディのような作品。
それなりにウケたが、後半シャキッとせずに長い。
そこで書き直し、新宿のプーク人形劇場でやる。
前回よりはるかに良くなった。

Yose Sinks

今日の噺は『寄席沈没』です。今はどの寄席にも結構お客さんが入っていますが、二十世紀の終わり、昭和六十年代から平成一桁の頃、どの寄席も入《い》りが悪かったです。当時池袋演芸場なんか十人入ると大入り袋が出ると言われた時代です。そして若竹はなんと三人から大入り袋が出る。浅草演芸ホールは当時、昼席はまあまあでしたが夜がダメでした。浅草自体、一時夜はぱったり人がいなくなって、夜の浅草には山賊が出るという噂がありました。とにかく、寄席にはパッタリと客が来なくなった。

それが二十一世紀に入り、客の入りが上向きになって来て、更に二〇〇五年六月、ＴＢＳのドラマ『タイガー&ドラゴン』で落語ブームが来た時、噺家はみんな「神風が吹いた」って、そう言ったんです。しかし、神風はサッと吹いてサッと収まるのが神風ですから……。

それは、二〇××（ニセンバツバツ）年の夏、何年だよ！　××年は、お好きな数字を入れて下さい。

この年も異常気象で、冬には爆弾低気圧が来て、春にはエルニーニョとラニーニョが、一緒になったエルラニーニョになった。暑い暑い猛暑日の八月十八日、遂にあの、日本中が驚愕した寄席沈没が起こったのでした。

八月十八日十二時四十八分、新宿末広亭沈没。

円丈の弟子のふう丈くんが、丁度その時、高座返し。次が漫才なので座布団を引っ込めてから、マイクを立てようとする。高座の座布団を上げたら、その高座の床に小さな真っ黒い綿のようなものがある。そこで思わず、そのゴミをふう丈ですからフウ〜っと吹いたら、その真っ黒な綿のようなものがフワっとなり、その瞬間、床に五㎜くらいのごく小さなブラックホールの穴がブッッとできた。やがて高座を中心にガ〜〜ッと回転し始めた。丁度、風呂場の排水溝に水が回転しながら周りのいろんなものを吸い込むように、ふう丈くんの足が吸い込まれ始めた。思わず楽屋に、

ふう丈「わあ〜〜、わあ、けい木兄さん、足が吸い込まれる〜っ、助けて〜〜っ」

っと叫んだ。その日、前座を束ねていたのが、立て前座の林家けい木くん。クールで冷静です。

けい木「ああ、そう。吸い込まれるって、じゃ、ふう丈くんは、早退するんだね。じゃあ君、自分の代演入れといてね」

ふう丈「そ、そ、そんなあ、わあ〜、スポーン」

その時、楽屋で準備をしていたのは、次に上がる有名な漫才師のすず風にゃん子・金魚先生。

落語協会では著名な漫才師、とにかく元気な二人です。走って高座に上がりますから、

にゃん子・金魚「さあ、今日も元気でいくよ〜っ、……いらっしゃいませ〜っ、スポ、さようなら〜〜っ」

客「おい、随分短い高座だね。いくら色物の持ち時間が短いたって、短か過ぎだよ。……あ、あ、あ、俺たち客も吸い込まれる〜〜っ、わあ〜〜っ、スポスポスポスポ〜ッ」

やがてその穴は、客も演者も建物も、一切の全てのものを飲み込んでスッと穴が閉じ、末広亭はただの空き地になりました。こうして、新宿末広亭沈没。

十三時二十三分、上野鈴本演芸場沈没。

丁度その時高座に上がっていたのが、柳家花緑くん。先代小さんの孫です。この柳家花緑くんのネタが、柳家十八番芸の『親子酒』。こんなグルグル廻る家はもらったってしょうがねえ！というサゲです。そのサゲ間際になって、座布団の中央にブラックホールがプツッとできて回転を始めた。

花緑「こんなグルグル廻るウチなんかもらったってしょうがねえ……」

すると、花緑くんが座布団の上をグルグル廻り始めた。

客「おい、見たかい？　座布団の上で廻ってる」
客「凄いね、花緑は。先代の五代目小さんを越えたね。……スポッ！　あっ、消えた。凄い消え落ちだ」

消え落ちなんてある訳ない。

客「わ〜〜あ、俺たちも吸い込まれる〜っ、ガ〜〜〜ア！」

と、お客さんも高座も全て飲み込んでいった。気の毒だったのは、この鈴木のビルに入っていたサイゼリヤ！

サイゼリヤ「コラぁ！　うちは場所を借りてるだけのテナントだ、沈没させるのは寄席だけにしろ！　……わ〜〜っ、スポッ！」

こうしてサイゼリヤともども、上野鈴本演芸場沈没。

十四時二分、浅草演芸ホール沈没。

この時、高座に上がっていたのが、順子・こいるセンセー！　あした順子・ひろしの順子先生と、昭和のいる・こいるのこいる先生です。

あした順子・ひろしのひろし先生は、昭和二年生まれで満八十八歳！　ただホントは、昭和二年じゃなく大正二年生まれで百二歳だって噂がある。でもホントは明治二年生まれで百四十六歳だって話があって、いや中には、実は元禄二年で三百六十二！　……そんなに古かありませんが、とにかくあのひろし先生が、今、ちょぉっと休養をしている。

それともう一組、漫才と言えば昭和のいる・こいる先生。あのヘイヘイホウホウののいる・こいる先生ですが、今のいるさんが休養中でして、そこで時々、元気者同士の順子・こいるさんで上がっていた。その時、高座にプツッとブラックホールができて、回転し始めた。すると順子先生が、

順子「こいるさん、気をつけて。舞台に穴が開いたわよ」

こいる「そうそう、ヘイヘイヘイ」

順子「何が、ヘイヘイヘイよ。ホラ、穴があるわよ。気をつけて」
こいる「ああ、よかった、よかった」
順子「何が、よかったよ。あ〜〜あ〜〜、吸い込まれる〜っ、ポコポコ！」

二人とも吸い込まれてしまった。
この浅草演芸ホールは、新聞社の招待券のお客さんが多いので有名。そこで演芸ホールの従業員が、
従業員「ええ、新聞の招待券のお客様、一列に並んで順にこの穴に吸い込まれて下さい」
客「なんだい？　この寄席の招待券って、あの世への招待券だったのかあ。そんなあ〜あ、あっ、スポンスポンスポンスポーン」

瞬く間に客も演芸ホールも飲み込んだ。浅草演芸ホール沈没。

十四時三十四分、池袋演芸場沈没。

その時高座に上がっていたのが、あの著名な川柳川柳！　何が著名だ？　おれは知らねえ。

この川柳さんは、私の元兄弟子。昭和の名人と言われた三遊亭円生の二番弟子で現在八十四歳です。とにかく訳のわからない人です。川柳さん、前座の時、酔っ払って師匠の家の玄関でウンコしちゃった。それが師匠に見つかって、

円生「おい、お前だろ、ここにウンコした奴は？」
川柳「いえ、師匠、それは犬がしたんです」
円生「バカ、犬が紙で拭くか？」

という、大変な先輩です。

川柳さんといえば、お客さんに小言を言うので有名です。「お客さん、笑わなきゃあ駄目だよ」って言ってたんです。このごろは、更に一歩進んで命令です。小言じゃなくて命令。「笑えよ。お前ら、俺がやりにくいだろ？」って、どっちが客で芸人だか、訳がわからない先輩です。

この川柳さん、得意ネタが『ガーコン』です。古い脱穀機でガーコンガーコンガーコン、これがトリネタです。丁度立ち上がって、ガーコンガーコンってやり始めた瞬間、ブラックホールがグア〜〜っと渦を巻き始めた。川柳さん、スポーンと穴に落ちた。それを楽屋で見ていた前座さんが、

前座「あっ、川柳師匠が穴に落ちたぞ。いやあ、よかった」

何がよかっただよ！　ところが、しばらくすると穴の中から、

川柳「ガーコンガーコン！」
前座「なんだ、まだ川柳さん、穴の中でガーコンってやってるぞ」
川柳「ガーコンガーコンガーコン！」
前座「なんだ、ガーコンと言いながら穴の中から浮き上がってきて、顔が出てきたぞ」
川柳「ガーコンガーコンガーコン」
前座「わあ、完全に体が浮いて空中浮遊してるぞ。わああ、逆に俺たちが吸い込まれる」

なんと川柳さんを除いて、全ての人、物、建物一切が吸い込まれた。池袋演芸場沈没。

十四時四十二分、国立演芸場沈没。

丁度その時高座に上がっていたのが、紙切りの林家正楽さん。

正楽「ハイ、ミッキーマウスができ上がってきました」
と言った瞬間、ボッツッと高座にブラックホールの穴が開き、正楽さんがグワ〜ッと渦に巻き込まれそうになって、
正楽「わあ、そこのお客さん、このミッキーマウスをあげるから、私を引っ張って助けて下さい」
客「いえ、正楽さんはいいから、そのミッキーマウスだけ下さい」
正楽「言ったな！　さあ、捕まえたよ。ミッキーマウスとお前を、あの世に道連れだあ」
客「そ、そんな〜あ、わあ〜〜っ、スポンスポン！」

正楽さんもお客さんも建物も、全部吸い込まれた。国立演芸場沈没。

十四時四三分、神田連雀亭沈没。

どこだよ。つい最近できた、二つ目専用のワンコイン勉強会など、神田連雀町の町おこしで作った寄席です。ところがこの時間は、何もやってなくて誰もいなかった。その誰もいない寄席の高座、ポツッとブラックホールの穴が開いて、建物全てが吸い取られ、ただの空き地になってしまっ

た。入口のあった場所に五百円玉が一枚落ちていた。通行人が「あっ、五百円玉！」と手を伸ばすと、ツツ〜ッと奥の方へ「待て、五百円玉、逃げたな」それっと五百円玉を掴んだ瞬間、ブラックホールの中へ「ア〜〜〜ッ、中に落ちる〜、スポッ！」と吸い込まれていった。

神田連雀亭沈没。

十五時二分、大須演芸場沈没。

名古屋に一軒、寄席があるんです。それが日本一客の来ない、あの大須演芸場です。三十五年前から潰れかかった寄席と言われて、未だに潰れかかっていて潰れていない、奇跡の寄席です。

大須演芸場の社長が、

社長「何、大須なんか沈没させんでも、事実上とっくに沈没しとるがね。わざわざホントに沈没させせんでもええがね。わ〜〜〜っ、スポン！」

大須演芸場沈没。

十五時一二分、大阪の落語定席、繁盛亭沈没。

二〇〇六年の創業以来、もう連日満員で。この日、上方落語協会の三枝改め桂文枝会長がトリの高座に上がっていると、高座にボツっとブラックホールの穴が開いた。

文枝「わっ、吸いこまれる。繁盛亭建設の功労者で会長の私が、なんで吸いこまれないかんの？　さっき楽屋に弟弟子の文珍がいてたやろ。あれを吸いこませたら……、何？　逃げた？　早う捕まえてこい！　わあ、わあ、わ〜〜っ」

スポスポッと繁盛亭も沈没！　こうして日本全国の落語定席、全ての寄席が消滅した。

更に翌日になってもその異変は続いた。その日はたまたま日テレ『笑点』の収録日。後楽園ホールで収録です。リハーサルの時、司会の歌丸さんが正座したまんま居眠りをしていた。そこでアシスタントデレクターが後ろから行って、

ＡＤ「師匠、出題して下さい！　どうぞ」

と軽く肩を叩いた途端に、歌丸さんがサラサラサラサラ〜ッと砂粒になって崩れ出した。

スタッフ「おい、付き人の桂枝太郎！　師匠はどうしたんだ？」
枝太郎「はい、実は師匠は三年前から死んでたんです。でも死んでると『笑点』を降りなきゃいけないので……、生きてる振りをしてたんです」
スタッフ「げっ、生きてる振りだったのか？」

あの『笑点』というのは、座布団だらけの番組です。その全ての座布団にブラックホールの渦巻きができて、木久扇、小遊三、円楽、昇太、たい平がウワ～～ッと吸い込まれ、なんとあの座布団運びの山田くんまで、
山田「わああ、やめてくれ。俺は落語家じゃないアーティストだ、ずうとるびだ～～あ」
スタッフ「山田、うそつけ～！　地方の営業に行くと、着物をきて落語をやってるだろ？」
山田「わあ、バレたか、ヒャ～～ッ、スポーン」

スタッフもろともいなくなっちゃた。

一方、あのブラックホールからの唯一人の生還者である川柳さんは、あの日以来不思議な力を

授かって「寄席のサイババ」と言われるようになった。

何をするのか？　トランス状態になってラッパ占いをする。トランス状態で占いというと凄そうですが、早い話が酔っ払ってラッパの吹く真似をするんです。「パラッパパ～ア」と、これで占う。このラッパ占いが、なぜかズバズバ当たると大評判！　そこで、寄席がなくなって困っていた寄席関係者たちが、どうしたら寄席の再建ができるか、その最後の望みを川柳さんの占いに託した。つまり藁をも掴む気持ちで川柳さんを掴んだ。川柳さんを掴むのなら藁を掴んだ方がまだいいんじゃないかと思いますが……。

寄席関係者「ねえ、川柳先生。どうしたら寄席が復活するか、占って下さい。お願いします」

川柳「よし、わかった。ウイ、パラッパパ～ア！　あ～～っ、見えてきたぞ。だんだん見えてきた。池が、熱い、熱い……、池が沸騰している。ハイ終わり！　さあ、この先が聞きたかったら、もう一升出せ」

寄席関係者「しょうがないな。ハイ、もう一本」

川柳「よし、ウングウグウグ……あ～～っ、日本酒は一升瓶のラッパ飲みに限るな。パラッパッパ～～ッと、よ～し、あっ、見えてきた。……そう、池が沸騰しているところに、幼稚園児百人を連れ、先生たちが、やって来た、あっ、園長先生が素足になって、沸騰する池に入ろうとしている。園児たちも入ろうとしている。大変だ。こんな沸騰する池に入ったら、これは、大惨事になるぞ。あぶない！　大惨事になると思ったら、園長先生が入ってアチチチ〜〜てなって、園児たちは、入るのをやめた。ハハハハ。大したコトにはならなかった。はあ、パラッパパ〜ア〜〜と、終わり！」

寄席関係者「今のが、お告げ、預言ですか？」

川柳「そう、いいか？　園児百人が、沸騰する池に入ったら大惨事になるとこだろ。それが、園長先生が軽い火傷で済んだんです。だからこれは大惨事にならず、小惨事、いや、コサンジだな、つまり柳家小三治だ」

寄席関係者「なんですか、大惨事から、無理やり引っ張って小三治にするんですか、無理ネタじゃないですか。で、あとは？」

川柳「池が沸騰していた訳だろ。つまり、池が沸騰する。池が煮えてた。つまり、イケニエだ」

寄席関係者「イケニエ？」

川柳「その二つを合わせるとどうなる？」

寄席関係者「小三治、生贄？　なんですか、小三治生贄って？」

川柳（？）「う〜〜っ、う〜〜っ、ウウ〜〜ッ、私は、怒っている」

寄席関係者「なんか、誰かが乗り移ったみたいだな。……。どうしたんですか？」

川柳（？）「私は、小三治が許せん！」

寄席関係者「あなたは誰ですか？」

川柳（？）「……、私は落語界中興の祖、円朝だ。私は、小三治を絶対に許さない」
寄席関係者「どうして許さないんですか？」
円朝（川柳）「あいつは、円朝の怪談モノもやらないクセに人間国宝になった。人間国宝だぞ。落語会中興の祖、円朝でもなってないのに。くやし〜〜い！　だから許せない！」
寄席関係者「えっ、なんです、そんな理由で……、うそだよ〜っ」
円朝（川柳）「なんだ、うそとは。私は三遊亭円朝だぞ！　落語会の中興の祖が人間国宝になれなかったのに……、小三治はなった。絶対、悔し〜〜〜い！　だから日本中の寄席を沈めてやった」
寄席関係者「えっ？　そんな理由で潰した？」
円朝（川柳）「なんだ、そんな理由とは。いいか、寄席を元のように戻してほしかったら、私をお祀りしている、あの谷中の全生庵に小三治を連れて来い。わかったか!!」
寄席関係者「はは〜〜〜〜〜〜〜っ」

なんと寄席沈没の原因は、あの円朝師匠が、人間国宝なった小三治師に嫉妬したから。くだらない原因ですなあ。
そこで、人間国宝のお祝いに御馳走と金一封を差し上げたいと、小三治師匠を呼び出した。もう金一封の嫌いな芸人はいません。新宿末広亭のそばにある長春館という焼き肉屋で、肉に睡眠薬を注射して眠らせ、谷中の全生庵に連れて行った。
ガランとした夜の本堂に大きな錦の座布団。その中心部分の五十cmほど上にミニ・ブラックホールが静かに回転している。その座布団の前に、バンダナをした変なじいさん坊主がいた。

?「おい、早く小三治を座布団に乗せろ。おい」
寄席関係者「なんだい、この汚いジジイは?」
?「汚いジジイとはなんだ? 家元に向かって」
寄席関係者「家元? あっ、談志師匠!」
談志「う〜、そうだ。おれは談志だ! 談志で悪いか?」
寄席関係者「で、でも、談志師匠は二〇一一年に死んだんでしょ?」
談志「フン。この俺様には、生きてても死んでてもそんなことはどっちでもいい。大切なのは、人間の業の肯定なんだ」
寄席関係者「いや、業の肯定って」
談志「いいか、今回のことは、オレが円朝師匠を呼び覚ましてその力を借りて仕組んだことだ。おれが寄席を沈没させたんだ」
寄席関係者「えっ、師匠の仕業で?」
談志「そうだ。いいか、オレは立川流の家元だが、今、寄席ブームになって客がバンバン入っているのに立川流はどこの寄席にも出られない。くやしい。だから円朝師匠の力を借りて、寄席を消してやったんだ。そうだな、圓楽?」

圓楽「あのう、そうです。カタカタッ」

寄席関係者「あっ、先代の圓楽師匠。なんで圓楽師匠まで一緒になって?」

圓楽「あのう、カタカタッ、早い話、入れ歯が合わない!」

寄席関係者「えっ、そんなこと寄席と関係ないでしょう?」

談志「うるせえ! そんなことはどうでもいいんだ。とにかく、この圓楽と二人で潰した寄席を復活させたら、オレたちで寄席の家元制度にするんだ」

寄席関係者「えっ、寄席の家元制度?」

談志「そう。オレたちが全部の寄席の家元になって、全ての寄席から上納金を取るんだよな、圓楽?」

圓楽「そう、カタカタッ、これで落語協会にカタタカ!」

するとその時、あの円朝の声が響いてきた。

円朝「これ談志よ。やはり今回の仕掛け人はお前か? 落語界で一番の悪人は、やはりお前であったか」

談志「なんで俺が一番悪いんだよ？」
円朝「よいか、お前は先輩からはタダで落語を教わりながら、弟子からは金を取る！」
談志「えっ、知ってた？」
円朝「当たり前だ。その方二人は、仲良くあの世で漫才でもやるがいい、それ〜っ！」
談志・圓楽「わ〜〜あ」

スポスポッとこの二人が吸い込まれた。

円朝「うん、よろしい。これにて飲み込まれた全ての寄席と人とものは、元通りになるであろう」

翌日になりますと、どの寄席の跡地でも復活を待つファンや関係者が今か今かとその時を、固唾を呑んで見守っていた。浅草演芸ホールの跡地では、グググ〜〜〜ッと寄席が復活した。そしてそれぞれの寄席の空き地に、それぞれの寄席が出現した。しかし、どうした訳か上野だけは、

ファン「あっ、遂に鈴本が復活したぞ！　あれ、あの看板は？」

見るとその看板に「名古屋笑いの殿堂　大須演芸場」。

ファン「なんだ？　これは大須演芸場じゃないか？」

なんと上野鈴本だけは、やめたとかやめないとか言われる大須演芸場が建っちゃった。

では鈴本はどうなったのか？　どこをどう間違ったのか、オーストラリアの大草原のど真ん中にドンと出てきちゃった。もう五百㎞四方に人間が一人も住んでいない。仕方がないので丸い柵を作って牧場にして、鈴本演芸場は鈴本円形牧場になったということです。

そして寄席復活の二週間後には、今度はなんと「日本寄席以外全部沈没」が起こり、落語定席だけを残し、日本から建物が一切なくなった。さあ、日本には寄席以外行くところがない。そこで行き場をなくした日本人が、毎日何百万人と寄席に押し掛けて噺家は大儲けをして笑いが止まらなくなったという、『日本寄席沈没・神風編』という噺家だけ超おめでたい噺でございます。

累ヶ淵SADAKO3000

かさねがふちさだこさんぜん ● 二〇一四年初演

二〇一二年「円丈十番勝負」の第一回、怪談噺で雲助師と対決。
そのネタとして現代版の怪談噺を掛けよう考える
（註：その時の演目は別の噺）。
その後、何回かのアレンジを経て
二〇一四年十二月、国立演芸場
円丈冬の夜噺「累ヶ淵ＳＡＤＡＫＯ３０００」をやる会
で披露した。

Kasanegafuchi Sadako 3000

〈照明……マクラから本編までは、普通の照明で……〉

よくマクラで「えんじょう」から点点を取れば、「えんしょう」になって、「えんじょう」の「じ」を「ち」に換えれば「えんちょう」になる。もう円生も円朝も思いのまま。なろうと思えばもう明日からでも。なんて思っていたら大間違い。もう円生、円朝が遠い遠い！　六代目円生は、円朝から見て孫弟子、円丈は、曾孫弟子になる。

今や二十一世紀。いよいよ女性の時代になりました。正直、男の時代は終わりました。ネットやメール、あれは女性が得意の井戸端会議の延長です。男はメールが苦手なんだけど、今は仕事でイヤイヤやっているんです。これからは女性の時代です。

今回は、円丈初のオリジナル怪談噺をやろうという訳です。怪談噺といったら円朝師の独壇場です。円朝怪談噺の登場人物の中で、二十一世紀の今の時代に合っているキャラクターといえば、『真景累ケ淵』に登場する邦楽の師匠、富本豊志賀です。円朝作品の中で一番のキャリア・ウーマンです。弟子が取り切れないほど来ちゃった。今でいうところの年収一千万以上はあります。自分の腕で稼いだ正真正銘のキャリア・ウーマン。しかも、アラフォーです。女性が歳を取るのが早い江戸時代、三十九歳の熟女が、なんと十八コも若い新吉という愛人を養っている。実にアッパレです。もう日本最初の肉食系女子は豊志賀です。その惚れた男を守るために「新さんに近づく女は七人までも執り殺す」という誓いを立てて、新吉との愛を貫くために剃刀自殺して死んだんです。

〈照明……ここから本編……高座以外は暗く……高座も少し絞る……〉

という今までの話が仕込みの部分で、これからいよいよお噺に入ります。

ある時、この豊志賀に憧れていたアラフォーでハンドルネームが「お台場・豊志賀」という女性がツイッターにつぶやいた。

「円朝モノの登場人物の中でキャリア・ウーマン富本豊志賀はなんと十八も若い新吉を愛人にして養っていて、もうサイコーの肉食系女子！　すげえ！」

今時、円朝モノの登場人物の話だから大して反応がないと思ったら、なんとこのツイートの三十分後には、円朝の豊志賀好きツイッター民から、

「そう、絶対、豊志賀は凄い！　年下の新吉という愛人を持ってる肉食系豊志賀はサイコー。年

下の男を愛人に持ってる豊志賀ファンのことは、これからはトヨシガ～ンと呼んで！」

トヨシガ～ン？　よくわかりませんが……。

それから一時間も経つと今度はフェイスブックにもこの豊志賀の話題が飛び火して、

「豊志賀はいいね。ホントにいい！」６６８いいね
ってなんだか訳がわからない。６６８人がいいって言ったんですな。そしてその二時間後には、

「今日は豊志賀さんの誕生日です。みんなで祝いましょう！」

って、突然、その日が誕生日になってしまった。すると更に若い女性からは、

「もっと豊志賀と年下の愛人新吉さんのことを知りたい～よっ」とか、

「あたし、実は十一コ下の若い新吉ちゃんと同棲中で～～す！」とか、あるいは
「私は、豊志賀タイプじゃなく西洋の魔女系だから愛人は、新吉さんじゃなくハリー・ポッター系で！　よろしく！」

って何がよろしくだかわかりませんが、中には、

「あたしは、以前ガマガエルを助けたら、そのカエルが毎日ガマの油を持って来てくれます」

とか、訳がわからないメッセージがきたりしまして、やがて……、

「私は、トヨママ！　若い坊やが大好き。そこで悪ノリして『豊志賀クラブ』ってサイトを作ったの。その中には『マイ新ちゃん』という画像のページもできたの。お願いします！　現在、年下の若い男子の恋人がいる方、ぜひ、おたくの新吉ちゃんをどんどんアップして！　トヨママより」

その日の午前中にツイートしたら、夜にはなんと『豊志賀クラブ』というサイトまでできてしまった。いやいや、ネットの世界は流れが早いですな。あの豊志賀の生き方が、今の時代の共感を呼んだんですなあ。

この豊志賀クラブの中にある「マイ新ちゃん」というコーナーが、突如、人気を集めた。その内、

動画での投稿者が増えた。それまでは写真、画像ですから、そこらのイモ兄ちゃんだって、角度によっては、そこそこ、イケメンに写る。ところが、動画はそうはいきません。動いたり、話したりしますから、イケメンかどうか、一発でわかります。同じ新ちゃんでもイケメンの格差がハッキリ出るようになる。

この中で一番のイケメンは、最初ツイートしたお台場・豊志賀の新ちゃん、通称お台場・新ちゃんです。カワイイと評判。カワイイから人気抜群。

ところがそれから四か月ほどたった時、このお台場・新ちゃんが突然姿を消した。お台場・豊志賀はもう新ちゃん命、いや命以上です。新ちゃんがどこにいるのか、調べた、調べた。新ちゃんに命懸けている女子ですから、その命が行方不明になった訳ですから、調べまくって、遂にその行方を突き止めた。

実は新ちゃんは、スカウトされて引っこ抜かれた。その犯人こそ『豊志賀クラブ』のサイトを立ち上げたトヨママ。このトヨママと言うのは、資産家の有閑マダムで、若いツバメあさりが趣味なんです。そこで、飛び切り若くて可愛いイケメン坊やを探すために、この『マイ新ちゃん』のコーナーを作ったのです。その中で一番カワイイお台場・新ちゃんを落とそうと密かに接触を続け、最後は数千万円という金で新ちゃんを引っこ抜いた。それを知ってお台場・豊志賀は、怒った。

お台場・豊志賀「やっぱり、そうだったのね。あの女、絶対許さない。新ちゃんは、別にいいの。ああいう自由にフラフラするのが、うちの新ちゃんの性格なんだから。でも、あの女は絶対許さない。必ず殺すわ。金にものを言わせて奪うなんて、なんてセコい女なの。大体、あの女の気にいらないのはあの髪形よ。あのトヨママって女は、いつも着物を着て長～い栗毛の髪を前に垂らして足元の先でカールさせ、地面がつく少し上で歩く度にクルンクルンと踊らせる。その自慢気なトヨママの栗毛は大嫌いさ」

それからトヨママに連絡を取り、二人はトヨママが熱海に持つ高級別荘で会うことになった。

お台場・豊志賀は、大切な新ちゃんをさらった女を許せなかった。

お台場・豊志賀「あのトヨママ、絶対殺すよ。あの自慢たらしい長い髪をダイソン業務用掃除機で毛根ごと全部吸い取ってやる！」

〈照明……これから本格的な本編なので……照明を更に暗くする……ラストまで〉

約束の日時に別荘に着いて玄関の呼び鈴を鳴らすと、中からなんと、お台場・豊志賀の命より大事な新ちゃんが出て来た。もうドッキドキになっていた。建物の中に入るが、あのトヨママの姿は見えない。もちろんどこかにいる筈だ。
するとと新ちゃんが、お台場・豊志賀にハグをしてきた。もう心臓が、一分間百五十〜二百回乱打！　ババババックンバババババックン、これって円丈がなった不整脈じゃん！　まあ、そんなことはどうでもいい。新ちゃんがニコッと笑うと、新ちゃんの顔からお化粧がバラバラとはがれ落ちた。
お台場・豊志賀「あれ、新ちゃんは、お化粧してた？」
更に化粧がはがれると、出てきたのは新ちゃんではなく、落語家・川柳川柳！
お台場・豊志賀「ワア、キモワル！　どうもおかしいと思ったのよ。いやに背の低い老けた新ちゃんだと思ったら、八十三歳の川柳だったのね。考えてみれば、ハグしてる最中もルーズベルトのベルトが切れてなんて変な歌を歌ってるから、どうもおかしいと思っていたら、川柳だったの」
川柳「そうだ。お前、笑えよ」
お台場・豊志賀「なんでこんな時に笑わなきゃいけないの？」
川柳「うるさい！　お前を殺せば、トヨママから五万の祝儀が出る。五万といえばおいしい仕事だ」

お台場・豊志賀「何？　あなた、五万で人を殺すの？」
川柳「そうさ。五万で殺して六万で大量虐殺！」
お台場・豊志賀「とんでもないこと言う奴ね」
川柳「じゃ五万の中から二万やるから、死ね！」
お台場・豊志賀「いやよ。二万もらって死ぬ奴がいるの⁉」
川柳「うるさい、それより死ね。ガーコン、ガーコン」
お台場・豊志賀「何がガーコンよ。八十三歳の爺さんに負けるものですか。それなら、あたしが、あなたを殺してあげるわ。さあ、死んで！」

川柳の後ろにメイドが立っていると思ったら、それが弟子の川柳つくし！

つくし「私の大事な川柳に何をするの！　お前こそ死ね！」
川柳「おう、つくし、そのいきだ。一緒にガーコンを合唱すれば勝てる。ガーコンガーコンガーコン」
お台場・豊志賀「ワア〜〜〜ッ、二人でガーコン、く、苦しい！　カクッ！」

と、あっさりお台場・豊志賀は殺されてしまった。すると後ろのカーテンがサラサラッと開いて、トヨママが出てきた。

トヨママ「フフフッ、無様なものね。何もわざわざこんなところまで殺されに来なくてもいいモノを！　新ちゃんの気持ちが変わるとでも思ったのかしら……。でもホントお馬鹿ね。ほら見て。この馬鹿の持ってるノートに、殺した後の死体の処理の手順まで書いてあるわ。読んでみるわね。

アイツを殺したら、大型のチャック付きビニール袋を三重にして、殺したトヨママを裸にして入れ、そこにドライアイスを入れる。ただそれだけじゃ終わらない。あの女の目障りなあの長い髪の毛、それをダイソン業務用掃除機ＳＡＤＡＫＯ３０００で全部吸い取ってやるだって。ハハハッ、しかもわざわざ、死体を入れる大型ビニール袋から、掃除機まで持参しているわ。ははは っ。お馬鹿はどこまでもお馬鹿。髪が長いといっても、あなただって腰まで髪を伸ばしてるのにね。この掃除機を使って、同じ方法であなたの死体を処理させてもらうわね」

トヨママは三重のビニール袋にお台場・豊志賀の死体をするっと入れ、ダイソン業務用掃除機ＳＡＤＡＫＯ３０００のスイッチを入れた。グワワワワ〜〜〜〜ン！　吸い口を髪に当てると、グワ〜ングワ〜ングワ〜ンという音と共に髪の毛がチューブの中にフワ〜〜ッと吸い込まれていった。

トヨママ「ハハハハハッ。この女は、自分の死体処理法をわざわざ書いたようなもんね。さあ、ダイソン業務用掃除機SADAKO3000よ、時間はたっぷりあるよ。その強い力で、この女の頭の毛をそっくり一本残らず吸い取っておやり！」

それからグングングングゲ〜〜ンと長い髪の毛を一気に吸い込み、直ぐに吸い口は、女の頭頂部にくっついてしまった。ガガガガガァガァガァガァガァと全力で吸い取り続けたが、皮膚から生えた髪の毛は、もうそれ以上、吸い取れない。さすがに皮膚に入り込んでいる毛根までは、抜くことはできなかった。

トヨママ「（掃除機に向かって）あなた、業務用なら人間の髪の毛ぐらい、毛根ごと吸い取れる筈、さあ、頑張って！」

と励ましたが、効果はなかった。いくら強力な掃除機でも髪の毛を毛根ごと吸い取ることはできなかった。だがダイソン業務用掃除機SADAKO3000は諦めなかった。

ダイソン「俺は、ダイソン業務用掃除機SADAKO3000だ！　俺に吸い取れないものはない！」

ガガガガガァガァガァガァガァと尚も吸い込み続けた。

やがて五時間も過ぎた頃、髪の毛が、なんと皮膚ごと少しずつ移動を始めた。ほんのわずかずつギュギュギュギュギュギュっと、吸い口から吸い取られていった。それから三時間後、頭髪の全てを吸いとった。それにつれて皮膚全体もグッグッグッと上がって行き、髪の毛の下にある眉毛の位置がググググと上がって、公家でおジャルの位置まで来た。

それればかりではない。その下では二個の目玉が、ググ～～ッと眼窩からオデコの方に這い上がってくるが、直ぐ下の眼窩にボコっとに引き戻される。また直ぐにググ～～ッと眼窩から這い上がってきて、更に上に上がろうとすると、また眼窩に落ちてなかなか出られない。何度もやっているとその下の鼻が、

鼻「おい早くしろ。オレが上がれないだろう?」

とクレームをつける。

その目玉も遂にボコッベコッググググ～～ッと上がっていき、やがて吸い込み口にヅリュブリュ

ボコッと吸い取られていった。目玉の次は、二つの耳が吸い込み口からキュキュキュ〜〜ゥプル〜〜ン、そして口がググググググッと上がっていく。更に皮膚の下からガシガシ、ガシガシガシッという音、なんと歯が一本一本皮膚の下を通って吸い取られ、こうして、翌日には髪、眉、目、口、耳、鼻という顔の突起物全てが、吸い取られ、体全部の皮膚を吸い取られた死体は、ただ白っぽい薄気味悪い人体模型のようだった。死体はその晩、近くの山に捨てられた。

別荘のクローゼットには、ダイソン業務用掃除機SADAKO3000が、放置されたままだった。

その次の晩、ダイソン業務用掃除機SADAKO3000に全く信じられないことが起こった。ホースやチューブやボディから、産毛が生えて来たのだ。人間の皮膚から生えるあの細〜く短い産毛だ。

そして吸い口近くのチューブから、あのお台場・豊志賀の髪の毛が生えてきた。その生える速度は、カタツムリの進む速度の千分の一。実際にやりますと、え〜この扇子が髪の毛だとしますと、グワ〜〜〜〜〜ッという……、動いてないだろ! まあ、そのぐらいのスピードです。

それでも六時間後には、吸い口やチューブからまるで『リング』の貞子のような黒い髪が、ウワ〜〜ッと生えて異様な掃除機になった。

それから、チューブから小さなピンポン玉ぐらいのものが浮き上がったかと思うと横に線が一本、それがバチッと開くと目玉だった。その後には、少し離れたところから、もう一つの目玉が、パチッ！

　更に今度は細い七、八㎝ほど長さの管ができ、それが少しずつ太くなったと思ったら、その筒が、グルルルルッと広がって耳ができ、鼻も浮き出してきた。やがて吸い口からは唇が浮き出し、その唇をグワッと開けると、周りに三角の尖った歯がずらっと並び、口の奥には赤い血が溜まっている。

　その次の晩、ダイソン業務用掃除機ＳＡＤＡＫＯ３０００は寝室に入り、ダブル・ベッドで寝ているトヨママのそばに来て両目を開け、トヨママをジッと見つめていた。見つめる掃除機というのは、怖いです。ダイソンは吸い口をそっとトヨママの髪の毛に近づけ、いきなり「強」にして吸い取り始めた。

トヨママ「何するの。この掃除機は、向こうに行きなさいよ！」
ダイソン「グワ～～～ン、グワン！」
トヨママ「イタタタ、髪の毛を吸い取るのはやめなさいよ！」
ダイソン「グワワワワ～ンガアアア～～ン！　ガガッガガッ。」
トヨママ「痛いわ、やめなさいよ。……ねえ、新ちゃん、少し手伝って！」
新吉「あのボク、コンビニに行く用を思い出しましたから、では行って来ます。バタン！」
トヨママ「なんであの子は、急にこんな時にコンビニに行くの？　でもあれが新ちゃんらしくてイイとこなの」
ダイソン「ガアアアア〜〜ン！　ガガッガガッ！」
トヨママ「いたたた、やめなさいよ。わわわ、助けて〜〜っ！」

ダイソンは強力だった。

ダイソン「グァ〜〜ン、バリバリバリイ〜〜ッ！」
トヨママ「イタタタッ、フン、アッ、齧った！」

なんと今度の掃除機は、歯が生えている。その歯で頭をガリガリと齧り、頭から流れる血をゴクッゴクツと飲み始めた。グル〜〜ッ、グル〜〜ッ！
すると象牙色だったダイソンのボディが、下からズ〜〜〜ッと真っ赤に変わった。

トヨママ「あっ、あっ、あっ……カッ！」

と、気を失う。それからトヨママの髪や、目や、鼻や、口を吸い取り、時々ガシガシガシ、ガシガシガシっと骨を齧り、筋肉や内臓を全て吸い込み、クチャクチャクチャと噛んでいたが、やがて吸い込み口からペッとカスを吐き出した。そこにはチューインガム程度の量しか残っていなかった。わずか六時間ほどでトヨママの全身、ほぼ全てを吸い尽くし、食べ尽くしてしまった。

そして次の晩も、ダイソン業務用掃除機ＳＡＤＡＫＯ３０００に更なる変化が起こった。ボディやホースからは血管が浮き出し、ドクッドクッと脈が拍動しだした。そしてチューブから生えている長い黒髪の間から、今度はトヨママの黒髪が、遠慮なくズル～～ッと生えてきた。しかも二個の目玉のついたチューブから、新たな二個の目玉がボコッボコッ！

するとお客さんの中には、おいおい、一体、パイプのどこにその新しい目玉ができたんだよ？と思われるでしょうが、もうその場所はお好きなとこへどうぞ。

今の吸い口から少し離れたところに、今度はトヨママの別な赤い唇をした四角い吸い口が、ガガガガガッと現れた！　その口の中には、尖った歯に真っ赤な歯肉。更に今まであった鼻の上にトヨママの鼻が生えてきた。すると下の鼻が、

鼻「なんで私の鼻の上に鼻を生やすの？　邪魔よ。向こうに行け！」

ドンと叩いたからボディの方に逃げてった。

お客さんにこの掃除機の姿を紙に描いてもらうと、百人いれば百人、きっと全員違う掃除機になるでしょう。

そしてボディからカンガルーのような短い後ろ足が二本、ガッガッガッと生え、更に小さな前足がクキキキ〜〜ッ、クキキキキ〜〜ッと二本生えてきた。そしてなんと、このダイソン業務用掃除機ＳＡＤＡＫＯ３０００は四足歩行を始めた！

この時点で二つの口と鼻、四つの耳と目玉のあるモンスターになった。そして掃除機のパイプには、ＳＡＤＡＫＯ３０００Ｇ－Ⅱと書かれていた。グレード・アップしたのだ。この掃除機は、人を飲み込む度に、目も鼻も耳も口も増えゆくことになる。

ダイソン業務用掃除機ＳＡＤＡＫＯ３０００改め３０００Ｇ－Ⅱの二つの口が喋りだした。

口①「えっ、何？　お前の動くエネルギーはなんだかって？　電気？　フフフ、今の私には、もう電気はいらない。私たちのエネルギーは愛とジェラシー！　憎悪と嫉妬のハイブリッド・エネルギーさ。これこそ、二十一世紀型クリーン・エネルギー。さあ、もうこの別荘に用はないわね。さあ、新ちゃんを追いかけて出掛けましょう、業務用掃除機一号さん」

口②「ちょっとお待ちになって。なんです、その業務用掃除機って！　私は食べられる前にはチャンとトヨママっていう名があったんです。それにこの別荘、二億円したのよ。これからはこの別荘を中心に新ちゃんを探します。あなたには、これから月給を払いますから、あたしが主人、あなたはメイド。さあ、あたしの髪を綺麗にとかして下さい。さあ、業務用メイド掃除機さん」

口①「メイド？　言ったわね。ふん！　大体、あたしの新ちゃんをさらうからこんなことになったのよ、もう！　カリカリカリ！　何掃除機の癖にブラシで髪をとかしてるの！　そのブラシを持ってる手なんか、バリバリバリバリバリ！！」

口②「イタタタ、あっ、……手を食べたわね。やりますねえ。それではあなたの目玉をバリバリバリ！」

口①「ぎゃ〜〜〜〜っ、イテテテテッ、あっ、あたしは、手一本しか食わなかったのに、目玉を二個も食ったな！　こうなったら、仇を討つわ。耳をバリバリバリ！　バリバリ……」

口②「あっ、あなた、お耳だけでなくて鼻も食べたわね！　それでは私もその大きな口をバリバリバリ！」

口①「ぎゃ〜〜〜あ、イテッテテッ、口がなくなって……あうあうあうあ……」

口②「チャンと喋りなさいよ！」

口①「喋れる訳ないでしょう！　口、ちちち、手が、腕が、ががが……、こうなったら……」

口②「ぎゃ〜〜〜〜〜っ！」

嫉妬にかられ掃除機になった女が、互いに互いを食い始め、とうとうお互いを食い尽くし、後にはなんにもなくなったという………、はて恐ろしき「SADAKO3000G-Ⅱ」かな～あ。

〈照明……この後、パッと明るくなって……寄席の踊りになります〉

『円丈冬の夜噺・累ヶ淵ＳＡＤＡＫＯ３０００をやる会』のチラシ

サイボーグ弟子

さいぼーぐでし●一九八八年初演・二〇一二年改

『ロボコップ』にヒントを得て
サイボーグが弟子入りするという落語を作ったが、
全然ウケず。
その後二度やるが、ウケず。
いやいや、絶対ウケると思いアレンジをする。
大分ウケるようなった、果たして本当はどうか？

Cyborg Disciple

落語で一番ウケないのが近未来落語。ウケません。しかも、そのテーマがＳＦとなったら最悪です。その近未来ＳＦ落語を、今日はやろうという訳です。怖いなあ。気を確かに持って、明るくいきましょう！　それは二〇五二年、今から四十年後の落語界のお噺です。

しかしまあ、なんと医学の進歩は恐ろしいもので、円丈は死んでいると思ったら、なんと百七歳で普通に元気で、十人の弟子たちも全員元気。ただ、四十二歳で入門したたん丈は自宅で独演会を企画したんですが、五日経っても客が来ないんで、自宅の高座で餓死した。翌日の新聞に載った。

「無名の噺家、高座で孤独死！」

ホント、惜しい弟子を故人にした。このたん丈以外は無事に四十年後も元気でして、ある日、二番弟子の三遊亭白鳥がやって来た。

白鳥「どうも師匠、ごぶさたで！」

円丈「おう、なんだ。ビッグ白鳥じゃないか、しばらくだな。どうしたんだ、ビッグ白鳥！」

白鳥「師匠、その名前やめてもらえませんか？　芸能生活六十年にビッグな名前を用意していると言うんで、三遊亭で残ってるビッグな名前と言ったら、円生か円朝じゃないですか？　どっちだろうと喜んでいたら、白鳥にビッグを付けて初代ビッグ白鳥って、冗談じゃないですよ！」

円丈「まあ、いいじゃないか。どうした。今日は?」
白鳥「今日は暮れのご挨拶を」
円丈「そりゃすまないな。ビッグ白鳥」
白鳥「ところで師匠、三十年ぶりに新しい弟子が入ったそうで。ええと名前が、そうそう、つう丈って名前だそうで、凄い名前ですね。なんです、こりゃ?」
円丈「わん丈の次だからつう丈だ」
白鳥「わんの次だからつう? 変な名前ですね。でも、超ド級の弟子だと聞きましたが……」
円丈「やめろ! あいつのことは聞くな。何も言いたくない!」
白鳥「だけど、どういう弟子なんですか?」
円丈「サイボーグだ!」
白鳥「えっ、サイボーグって言いますと?」
円丈「根掘り葉掘り聞くな! 奴は改造人間サイボーグだ!」
白鳥「改造人間サイボーグ?」
円丈「奴は、元々は優秀な消防士だったが、ある大火災で脳以外はほとんど燃えてしまい、そこで身体一式を労働兼戦闘用サイボーグとして作り変えられたんだ。そのサイボーグが、弟子入りしたんだよ!」
白鳥「え、じゃあ、ロボットが弟子入り?」

円丈「ロボットじゃねえ。脳だけ人間で、あとはサイボーグなんだ」
白鳥「はあ。で、芸のスジはどうです？」
円丈「あのなあ、芸のスジも何もない。話す声が合成音声で出てんだ。脳以外は金属だよ。首を横へ回すだけで、ウィーンって音がする。そんな奴の『文七元結』を聴きたいと思うか？」
白鳥「思いません」
円丈「そうだろう。その弟子が、ああ、今日もまたあの弟子がやって来る。あー、あ〜、怖い！」
白鳥「なんです？　しょうがないですねえ。普通は弟子が師匠を怖がるもんですよ。師匠が弟子を怖がってちゃあ、しょうがないですよ。それじゃあ、弟子にとらなきゃよかったじゃないですか」
円丈「お前は労働兼戦闘用サイボーグの恐ろしさを知らないから、そんなのん気なことが言えるんだよ。奴を怒らせると、目からレーザービームが飛び出すんだ。しかも腕にはガトリング銃が内蔵されていて、一秒間に十万発撃てるんだ。十万発だぞ！　そんなに撃てなくていいっつうんだ！　もし俺が弟子入りを断って『デハ、死ネ！』なんてなったら、どうするんだよ！　俺は弟子入り断って殺されたくない、だから弟子にしたんだ。あ〜、怖い。あいつはそろそろやって来る。俺はあいつに殺される！　あ〜、今日こそ、この足立区六町が血で染まる！　あ〜、怖い」
白鳥「何を言ってるんですか？　そんな訳ないでしょ！」

ドン！　ドン！　ドン！　ドン！

白鳥「師匠、あの地響きはどっかの工事現場の音ですか？」
円丈「バカ！　あれは奴が今、つくばＴＸ六町駅を降りた音だ。あー、近づいてくる。あー、怖い！　奴が俺を殺しにやって来る」

ガシャクッ、ガシャクッ、ガシャクッ！

白鳥「音が変わりましたね」
円丈「あれは、途中の足立ミュージアムの前にさしかかった音だ」
白鳥「あの音が！　へー、カッコいいなあ。今度、池袋の飲み屋に連れて行ってやろう！」
円丈「ビック白鳥、お前に一つだけ忠告しよう。長生きしたけりゃ、奴にかかわるな」
白鳥「へへへっ、でも会うのが楽しみだな」
円丈「あっ、いよいよ、近づいてくる」

ガシャンズシ、ガシャズシ、ガシャズシ。ガガガ〜ッ！

白鳥「あの音は?」

円丈「あれは、家の方に向きを変えた音だ」

ガ・ガ・ガ・ガ・スンガス・ガ・ガ・ガ・ガ・ガスン、グーッ、グリグリグリ、グリグリグリーン!

白鳥「なんです、あの音は?」

円丈「玄関のドアノブを廻しているとこだ」

ガーガーガーガー、ブーチ~~ン!

円丈「あの野郎、またうちのドアノブを引っこ抜きやがって」

バーン! ガシャ、クーッ。キカ、クカカカカ……。

白鳥「師匠! 陽気なお弟子さん!」

円丈「何が陽気なお弟子さんだ。ただ乱暴なだけだ! あっ、またドアをはぎ取った」

ドドドドドッシャ〜〜ン

円丈「玄関の中に入って来たぞ」

ウイーン、ウイーン、ウイーン、ウイーン、ウイ〜ン！

白鳥「あれは、何をしてるんで？」
円丈「靴を固定したボルトをはずしてんだ」
白鳥「へー、結構不自由なんですね」

グアッシャ、ユラッ、グアッシャ、ユラッ。

円丈「来る！　来る！　俺は死んじゃう！　殺されるー、ギャー！」
白鳥「師匠、落ち着いて下さいよ」

グァーン！

つう丈「師匠ーッ！　オハヨウゴザイマース！」
円丈「出たー！　どうぞ命ばかりは、お、お、お、お助けを！」
白鳥「こんなに気の小さい師匠も珍しいなあ、まったく。大丈夫ですよ！　サイボーグったって弟子なんですから、ガツンと言って下さい」
円丈「う、うるさい。俺は死にたくないんだ。よくいらっしゃいました。えっ？　あ、コイツ？　ビッグ白鳥と言いまして、一応あなたの兄弟子！　イヤイヤ、大した兄弟子じゃありません。もう気に入らなければ、たった今からあなたを兄弟子にして、コイツを弟弟子にしますから」
白鳥「いい加減にして下さいよ、師匠！」
つう丈「ナニ？　兄デシ。データ、ケンサク。パポパパパ。同ジ師匠ノデシ同士デ、先輩ヲ兄デシトイウ！　呼ブ時ハ兄サントイウ。デハ兄デシノ能力データ。パピパポピ。年収カナリアリ、知名度ソレナリニアル。芸ノ力20レベル。話ヲ大ゲサニ言ウ名人。ヨイショ力高イ！　尊敬スルホドデモナイガ、一応、尊敬スル振リダケシヨウ。ドーモ！　兄サン」
白鳥「何が兄さんだ、この野郎。お世辞のうまいサイボーグだ。とんでもねえ奴」
つう丈「師匠！　私悲シイ！　師匠ノオ役ニ立チタイノニ、オソレテイル。私ハ悲シイ」
円丈「私が、おそ、おそ、おそ、れてる、そ、そ、そんな、こと、コト、コト、ない、ない、ぶるぶるぶる！」

白鳥「恐れすぎですよ」
つう丈「私ハ、師匠ノ家へ来ル時、目ノレーザーガン、オフニシマス。腕ノガトリング銃ノ弾丸ヲ抜イテキマス。私ヲオソレナイデ下サイ」
円丈「何、ホントか？　そうか、ホントに大丈夫なんだ。じゃあ、今のオメエは、ただの鉄屑か？　コラッ！　大体お前、来るのが遅いんだ！　バカ者が！」
つう丈「ドウモ、師匠。スミマセン！」
白鳥「それですよ。弟子を甘やかしたらいけません」
つう丈「師匠、ドウカ、私ニ稽古ヲツケテ下サイ！」
円丈「稽古？　おい、どうする？」
白鳥「師匠、ここは芸道六十五年のビッグ白鳥様が、稽古をつけてやります。おい、つう丈。師匠に稽古をしてもらおうなんて十年早い。俺が稽古をつけてやる。着物は持ってんのか？」
つう丈「ハイ。アリマス！」
白鳥「じゃあ、直ぐに着替えろ！」
つう丈「ハイ。ガァー、ガァー、ガァーッ！　ハイ、着マシタ」
白鳥「おい、お前なあ。着物っていうのは、こうなる（仕草を見せる）。お前、着物が横までしかないじゃないか」
つう丈「ハイ。胴回リガ、２．５ｍアルモンデスカラ、間ニ合イマセン」

白鳥「前がガラ空きでみっともねえ。それはいいが、なんだこの白い帯は？」
つう丈「ハイ。普通ノ帯デハ結ベナイノデ、消防自動車ノホースヲ巻イテマス」
白鳥「消防車のホース？　情けない奴だな。それから、その足はどうした？」
つう丈「ハイ。足ガ56㎝デ足袋ガナイノデ、足袋ノ代ワリニサランラップヲ巻イテマス」
白鳥「いいかげんにしろよ！　お前は落語を冒涜してるのか！　ちょっと師匠、ちゃんと見て下さいよ、この姿を！　前がガラ空きで消防車のホースを巻いて足にサランラップを巻いている。何か言ってやって下さい」
円丈「俺は怖いから一度もちゃんと見たことないが……、ギャー！　なんだコイツは。フランケンシュタインに着物着せたってもう少し粋になるぞ。この姿はただの与太郎だよ。もう怒った、バカ野郎め！」
つう丈「師匠、スミマセン！」
白鳥「まあいい。このビッグ白鳥様が、稽古をつけてやるから、ここに正座してみろ！」
つう丈「ハイ。座リマシタ！　完了！」
白鳥「おい、俺は正座しろって言ったんだ！　誰がウンコ座りしろって言ったんだ」
つう丈「ワレワレ労働兼戦闘用サイボーグハウンコ座リダケシカデキマセン」
白鳥「お前な、落語をバカにしてるのか！　落語の歴史四百年の中で、ウンコ座りで落語するのはお前だけだ。座れ！」

つう丈「デモ、デキマセン」
白鳥「なめんな！　いいか、この世界は理屈の通用する世界じゃないんだ。座れってんだよ！」
つう丈「ハイ。デハ胴ト足ヲ切リ離シマス」
白鳥「何、胴と足を切り離す？　便利な体だな。これから落語やる時はあらかじめ胴と足を切り離しとけ！」
つう丈「ハイ、兄サン！」
白鳥「それだ、それだ。大分、噺家らしくなってきたな」
円丈「おい、ビッグ白鳥、コイツに落語を教える前に、まずは感情表現を教えろ。喜怒哀楽をやらしてみろ！」
白鳥「ハイ、わかりました。おい、聞いたろ。まず感情表現だ。さあ、笑ってみろ！」
つう丈「ハイ。笑イマス。ゲツゲツゲツ」
白鳥「何がゲツゲツだ。川柳さんの軍歌じゃねえ。笑うのなら、ハハハッだ」
円丈「もういい、もういい。ビッグ白鳥、次は小噺でも教えてやれ！」
白鳥「わかりました、小噺を。おい、これから俺が小噺をやるから、それをそっくり真似しろ。いいな！」
つう丈「ハイ」
白鳥「じゃあ、いくぞ。向こうの空き地に囲いができたってね。へー！　さあ、やってみろ！」

つう丈「ハイ。ヤリマス。向コウノ空キ地ニ……」
白鳥「首を曲げるのが遅いんだよ！　一体どんだけ時間かかってんだ。今度は早くやれ！」
つう丈「ハイ、ソレジャ全速デ。向コウノ空キ地ニ囲イガデキタッテネ。ガッ、ガッ、ガガガガガガッ！　油ガ切レタ……」
白鳥「情けない奴だな。うちの一門でお前ぐらい下手な奴はいねえな」
つう丈「兄サン、一体、私ノドコガイケナインデ？」
白鳥「お前は間が悪いんだ！」
つう丈「マ？　マ、マ、データ、リサーチ！　パピポポロ。マ、芸ノ上ニオケル呼吸。アル動作カラ別ナ動作ニ移ルソノ間ノビミョーナ変化ヲイウ……、スルト、オヤ、マア、ノマデハハナイ！」
白鳥「当たり前だ。師匠！　こいつにガツンとやって下さい！」
円丈「ぬぬぬー、もう、怒ったぞ。こらアタマを出せ！　バカモン！」

と、サイボーグ弟子つう丈の後頭部を扇子でピシッ。その後頭部にボタンがついていて、そのボタンがオイル交換のボタン！　それを押したもんだから、頭のてっぺんからオイルが噴き出してきた。

つう丈「ブァーッ、ブァーッ！　グァーッ、グァーッ！　師匠ーッ！」
円丈「ひゃー！　逃げろー！」
白鳥「師匠、私も一緒に逃げます！」
円丈「じゃあ、一緒に逃げよう。ひえー！」
つう丈「ガッシャン、ガッシャン！　師匠ーッ！」
円丈「ひゃー、逃げろー、ひえー！」

もう白鳥と二人で足立区中を逃げ回った。足立区六町には鉄塔が多い。その中で一番高い鉄塔に、

円丈「おい、あの一番高い鉄塔に登れー！　逃げろ！　逃げろ〜っ」
白鳥「はいー！　登りましょう！」
つう丈「ガッシャン、ガッシャン！　師匠ーッ！」
円丈「ぎゃー！　まだ追いかけて来る！　登れー！」
つう丈「師匠ーッ！」
白鳥「きゃー！　怖い！　登れー！　師匠、早く登って！　早く登って」
円丈「登ってったって、もうてっぺんだからこれ以上登れないぞ」

白鳥「登れないったって、早く上へ！　ホラッ！」

って下からドーンと突き上げられたもんだから、

円丈「わあ、落ちる！　ひゅう〜〜〜っ！　ドスン」

なんと百m下の地面にドン！　もうほとんど即死状態だが、意識はハッキリしていた。

つう丈「師匠ーッ！」
円丈「て、てめえ。また来たのか!?」
つう丈「師匠ーッ。殴ッテクレテ、アリガトウ」
円丈「バ、バカ野郎！　それを早く言え、カクッ！」

これで普通は死んでしまうのですが、このサイボーグの弟子が病院に頼み込んで、師匠をサイボーグに……、

医者「えっ、サイボーグにしたい？　奥さんは、なんて言ってるの？　えっ？　サイボーグにす

るんなら、そのままにして。奥さんからは金が出ない。君が一時立て替える？　一体いくらなら予算があるんだ？　えっ、五十八万円？　五十八万円でサイボーグとは、ずうずうしいね。イヤ、今ね、視覚聴覚ユニットというのが発明されて、脳とユニットをつけて、動くものを取り付ければ、とりあえずサイボーグになるんだよ。このユニットが五十万なんだ。後はモノを取りつければいいんだけど、残り八万で何か動くものね……、中古肉体労働サイボーグ？　それだって三百万するんだ。おい、その辺に動くものは何かないか？　そこに農機具がある？　昔の脱穀機？　駄目だよ。それじゃガーコンって別な嘶になるから。そこにあるのは？　ん、大昔の遺跡の田植え機の早苗ちゃん？　それなら五万でいい？　じゃ、もう田植え機早苗ちゃんサイボーグ一号だ」

とうとう円丈は、田植え機サイボーグにされちゃいまして、軽いリハビリをして、いよいよ退院という日、サイボーグ弟子つう丈がやって来た。

円丈「オオ、アリガトウ。弟子トイウノハアリガタイモンダナア！」

つう丈「弟子？　ダレガダ？　私カ？　私ハ、モウオマエノ弟子デハナイ！　オマエノ芸ノ力、ゼロニナッタ」

円丈「ナニ？　芸ノ力ゼロ？　データ検索！　パピポポパ、収入ゼロ！　知名度ゼロ！　芸ノ力ゼロ！　一方、つう丈ノ芸ノ力、１２０！　ソンナバカナ！」
つう丈「モウ、オ前ハ円丈デハナイ！　タダノシロウト」
円丈「タダノ素人？」
つう丈「カワイソウダカラ、私ノ弟子ニシテヤロウ。芸名ヲ考エテオイタ。ワン丈ノ下ノ下ノ弟子ダカラ、ワン丈ノ下ノ丈ノ弟子ノ丈ダ」
円丈「ソンナマヌケナ名前！」
つう丈「イヤナラ辞メロ！　ホントニ芸ガアルナラ、コノ座布団ニ正座シロ」
円丈「正座ヲ……、アッ、マズイ、足ガ車輪ニナッテル！」
つう丈「ソウダ。オ前ノボディハ、遺跡田植エ機早苗チャンダ！」
円丈「ア、ホントニ早苗チャンノステッカーマデ貼ッテアル」
つう丈「サア、オレガ言ッタ通リノ小噺ヲヤレ！　向こうの空き地に囲いができたってね、ウイーン、ヘ〜、ダ」
円丈「早イ！」
つう丈「ソウダ、首ノモーターヲ3倍速ニ替エタ。サア、ヤレ！」
円丈「デハヤルゾ。向こうの空き地に囲いができたってね（田植え機の仕草をし、進みながら小噺）。へ〜〜〜」
つう丈「進ムナ、小噺ヲスル時ハ、止マッテヤレ！」

円丈「ヨシモウ一度。向こうの空き地に囲いができたってね（田植え機の仕草）、へ〜〜〜（と
今度は戻りながら小噺）」
つう丈「モドルナ！」
円丈「デモ田植エ機ダカラ、進ムノハショウガナイ」
つう丈「イヤ、田植機デモ、真打ニナレバ、止マッタママデ小噺ガデキル」
円丈「エッ、ジャ、俺ハドウシテ止マッテ話セナインダ？」
つう丈「モチロン、サイボーグノ新米ダカラダ」

弟子たちとの一コマ

10倍レポーター

じゅうばいれぽーたー ● 一九九四年初演・二〇〇一年改

応用落語をやっている時、
チャンピオン大会で優勝した噺。
特別にドカーンと大きくウケる訳でもなく、
やや地味なウケ方をする。
まあ、中程度のネタではないのか？
ストーリーが少し複雑過ぎたかなという気もするが……。

10 Times Reporter

日本はかわいそうヒューマニズムの国ですから、テレビで遭難事故のニュースなんか見てると
アナウンサーが心配してますね。
アナウンサー「山で遭難した人たちの安否が大変気掛かりです。一刻も早い、無事な救出を期待したいですね」
ハイCMって入った瞬間、
アナウンサー「絶対死んでるよね。こんな吹雪で生きてる訳ないよ。いいんだよ、死んで！　冬に山に登るのが間違いだよ！」
ハイ、キュー！　って出た瞬間、
アナウンサー「いやあ、ホント心配です。それでは現場から中継で……」
なんてやってます。
大体、報道ってのは不幸産業です。人の不幸でメシを食ってる訳です。しかも、迷惑産業。と

にかく、日本のマスコミは横並びですから、集まります。一番くだらない情報は、毎年のプロ野球キャンプ情報です。去年のキャンプではいつ長嶋監督がジャンパーを脱ぐか？　世紀の一瞬を！　何が世紀の一瞬だ。そんなのいつ脱いだっていいじゃないか。あと、長嶋監督が自転車に乗ると大ニュース！　そんなの三歳の子供だって乗るっつうんです。それにマスコミがワッと集まるんですから。

とにかく、なんかあると直ぐに百人二百人が集まる。仮に私になんかの疑惑があると、家を二百人ぐらい囲んじゃう。もう近所中大迷惑です。それでスーパーで買い物するとゾロゾロついてきて、あくる日の新聞に、「円丈ふてぶてしく大根を買う！」なんて載るんですから。

ですから正直言いますと、他人の不幸でメシを食う報道より、我々、落語の方がず〜っと貴い仕事なんです。

我々は心が疲れた人に笑って頂き、「いやあ、おもしろかった。明日から頑張ろう！」と勇気を与えるんです。しかも笑うと、健康にいいんです。ナチュラルキラー細胞が活性化して、外部から侵入する細菌をやっつける、がん細胞を食う。病気が治る、ガンが治る。我々は命を救ってる。笑いのシュバイツアー博士ですよ。大変貴い仕事です。

だから私が高座に上がった時、思わず「ああ、円丈様！」と、手を合わせていいんです。今日は誰も手を合わせませんでしたけど……。誰が手を合わせるんだ！　……それほど貴い仕事なんですが、お客さんもやる方も、誰もそう思っていないだけなんです。

報道は人の不幸でメシ食ってる訳ですから、報道の現場サイドの人は、より不幸なニュースを喜ぶ訳です。

ディレクター「おい、視聴率の上がる派手な事件はないかよ。……はい、もしもし、何？　通り魔殺人？　いいね、派手じゃねえか。で、被害は？　一人死んだ？　地味じゃねえかよ。たった一人？　うん、今情報が入って、あと二人死んでた？　派手じゃねえか！　更にあと二人重体？　ラッキー!!」

何がラッキーなんだ、みたいなことがありそうですね。
日本って地震も多いし、台風も多いし、災害大国といえます。しかしテレビのニュースで雨が降って膝上まで水に浸かって歩いてるのを見ると、一応「こりゃあ大変だなあ」口では言うんですが、内心ウキウキしますね。「おい、水だよ。膝まで！　へへへっ、いいなあ。うらやましい！」そういうところ、ありますよね。腰まで浸かって歩いてる人なんかも「なんか腰まで浸かって。わあああ、嬉しい！　潜っちゃおうかな」なんて、どこか嬉しそうに見えるんですね。人間の心理としてそういうところがありますよね。

ディレクター「プロデューサー、なんでしょう？」

プロデューサー「なんでしょうじゃないよ。夕方六時台のニュース戦争の中で、ウチの局が負けてるぞ。そりゃフジのスーパーニュースに負けるのはしょうがないとしても、ニュースの森にもニュースプラス1にも負けて、視聴率最低だぞ！」

ディレクター「すみません！」

プロデューサー「すみませんじゃないよ。しかも、番組名をお前につけさせたら、日テレのニュースプラス1に対抗して、ニュース・プラス・ゼロ！　って、対抗してないじゃないか。とにかくテコ入れ策はないか？」

ディレクター「はい、どーもウチの番組は災害現場からの中継に弱いですよね。そこで災害二倍レポーターという男を見つけてきたんです」

プロデューサー「なんだ、その災害二倍レポーターというのは？」

ディレクター「はい、そのレポーターを行かせると、被害が倍になる！」

プロデューサー「危ねえな。具体的にはどーなるんだ？　わかりやすく話せ」

ディレクター「ですから、日本の男の平均体重は六十kgあるでしょう？　ところがこの男は体重が三十五kgなんです。受ける風圧は同じで体重半分ということは、倍飛ばされやすい」

プロデューサー「なるほどなあ」

ディレクター「ですから、風速二十mで四m飛ぶ！　風速六十mなら、四百六十五ヤード飛ぶ！」

プロデューサー「チタンウッドだな」

ディレクター「しかも、顔に水がかかるほど顔色がドンドン青くなる！」
プロデューサー「リトマス試験紙顔だな、そりゃあ」
ディレクター「ですから、降水量が百㎜でも、二百㎜に見える！　これが二倍レポーターの実態なんです！」
プロデューサー「よくそんなレポーターを探して来たな。こりゃいいや。よーし、そいつを大々的に売り出そう！　……何？　台風二十四号が九州に進んでる？　よーし、早速奴を九州へ送り込め！」
ディレクター「はい、わかりました！」

この二倍レポーターを九州に行かせますと、二日後に台風が鹿児島に上陸した。

アナウンサー「こんばんは。ニュース・プラス・ゼロです。超大型で戦後最大級といわれる台風二十四号が、九州の鹿児島県に上陸しました。早速現場から中継が繋がっております。今回から二倍レポーター、ふっ飛びのオオスミ君に伝えてもらいましょう。オオスミくーん！」
オオスミ「はい、ボクが風雨を二倍に感じさせる二倍レポーター、ふっ飛びのオオスミで～～す。先ほどから雨が一段と激しくなってきました」
アナウンサー「オオスミ君、顔色が青いよ」

オオスミ「はい、この顔色ですと、大体一時間の降水量が百五十五㎜です」
アナウンサー「えっ、自分の顔色で降水量がわかるの？　さすが二倍レポーターですね。しかし、さっきから電信柱にしがみついてますねえ」
オオスミ「はい、こうしないと飛ばされちゃうんです。先ほどからかなり激しい風が……、あ、ピュ～～～ッ！」
アナウンサー「あ、飛ばされました。ホントにふっ飛びのオオスミ君だね。オオスミく～ん」
オオスミ「はーい、ここです。ここにいます」
アナウンサー「声はするんですが、どこへ行ったんでしょうか。カメラさん、画面をロングにしてもらえませんか？　あれ、どこにいるんでしょう？　水銀灯に紙屑みたいなモノが引っかかっているだけですが……」
オオスミ「その紙屑に見えるのがボクでーす！」
アナウンサー「え、水銀灯に引っかかっている？　ゴミみたいですね。怪我はないですか？」
オオスミ「はーい、ボクは元気です。でも、テレビを見ている良い子のみんなは、決して真似をしてはいけないよ！」
アナウンサー「誰が真似するんですか。降りられますか？」
オオスミ「はい、私の体には何本か糸がついていまして、それを五人のスタッフが引っ張っているんです」

アナウンサー「凧ですね、まるで」
オオスミ「それでは、今日はデビューのサービスでもう一回飛びます。ピュ〜〜〜ッ！」
アナウンサー「あっ、また飛んだあ〜っ！」

こうして二倍レポーターは衝撃のデビューを飾った。

次の日のスポニチ！「水銀灯に引っかかったレポーター見参！」「次回は必ず電線に引っかかると宣言！」これで一躍大人気。この年は台風の当たり年。次々と来る台風にピューピュー飛ばされる。もう人気はウナギ登り！

ところが、これで喜んでいられないのがテレビの世界。抜け目のないフジテレビが、なんと四倍レポーターの女性を探してきた。二倍レポーターは身長百五十cm、体重三十五kgだったのですが、四倍レポーターは身長百七十八cmの三十一kgで四kg軽い。つまり表面積が大きい分だけ、更に風を受けて飛びやすい。風洞実験をした結果、普通の人間の四倍になる！

それにこの女は頭蓋骨の上のところがへこんでいて水が溜まる。しかもコウモリ傘を逆さにしたようなヘアースタイルをしてるから、雨がいっぱい溜まる。その雨水がおでこを華厳《けごん》の滝のようにドドーっと流れ落ちて凄いのなんの。

そこで、彼女に「華厳のお竜」と名前をつけてデビューさせましたが、おでこから滝を流しながらレポートするわ、よく飛ぶわでもうテレビにみんな釘付け。しかも飛ぶとそれをカメラで追う。滝を流しながらピューっと飛んでる。

視聴者「あっ、今日は飛びながら滝を流してる。これが幻の技、つばめ流し滝だあ。ぎゃあ〜、パタッ！」

って失神したりなんかしてもう訳がわかりません。とにかく、四倍レポーターは大変な人気！

一方、二倍レポーターの方にはすっかり影が。落ち目になってしまいました。困ったのが、プロデューサーとディレクター！

プロデューサー「しかし参ったな。四倍レポーターが出てくるとは思わなかった。いや、山梨で土石流が発生しているから、直ぐに中継車を走らせなくちゃいけないんだがなあ」

ディレクター「じゃあ、二倍レポーターを！」

プロデューサー「だけどフジは四倍だぞ！　負けるのは目に見えてるからな！」

オオスミ「ハハハハハハハハハハハハハハ」

プロデューサー「何笑ってるんだ、二倍レポーター」

オオスミ「ハハハハッ、実はボクの二倍というのは、実力を抑えていたから二倍なんです！　ホントは十倍レポーターなんですよ！」

プロデューサー「えっ、十倍レポーター？」
オオスミ「そうです。さあ、見て下さい。今までボクは十kgの鉛入り腹巻きをしていたから
　三十五kgだったのです！」
プロデューサー「えっ、重りをつけて三十五kg？」
オオスミ「はい、ドスっと。これで十kg軽くなって」
プロデューサー「え、体重がたったの二十五kg？」
オオスミ「いいえ、まだまだ更に、この十kgの鉛入りチョッキを脱ぎます。ドスっと！　これで
　一五kg」
プロデューサー「え、たった十五kgしかないの？」
オオスミ「いえいえ、まだまだ！」
プロデューサー「おい、それじゃ体重がゼロになっちゃうよ」
オオスミ「これから五kgの鉛入り靴を脱ぐ」
プロデューサー「ひえ、五kgの靴履いてたの？　よく歩けたね」
オオスミ「本当の体重は十kg！」
プロデューサー「えっ、たった十kgしかない？　ウソだよ〜。身長百五十cm、体重十kgって、そ
　りゃいくらなんでも軽過ぎだよ」
オオスミ「はい、実は小さい時に医者に診てもらったら、骨の中が空洞になってると言われま

して」
プロデューサー「鳥だね、まるで」
オオスミ「更に精密検査をしてわかったのですが、通常人間の体は七十%近く水分ですが、私の体は九十%ヘリウムだと言われました」
プロデューサー「風船だよ！　とにかく特異体質なんだね」
オオスミ「それに今回から、この飛び飛びコートを特注しました。これは空気を受けやすく、更に飛びやすいんです。それと、今回は新しい技を習得しました」
プロデューサー「どんな技だ？」
オオスミ「はい、本番前に水を飲むと、五分後に顔中から水がピュ～ッと吹き出す」
プロデューサー「もうバケモンだ。うん、これなら華厳のお竜に勝てる。よ～し早速山梨の現場に行けー！」

そしてこの日の現場で、華厳のお竜と対決することになった。先ずニュース・プラス・ゼロの中継。
アナウンサー「現場の十倍レポーター、ムササビのオオスミ君、オオスミ君、あれ、どうしたんでしょう、何か水浸しの地面しか映ってませんが、あ、何か、地面から手が出てきました。

もしやあれが十倍レポーター！」
オオスミ「ぷは〜！　土石流の地獄から蘇った、十倍レポーターのオオスミです！」
アナウンサー「まるでゾンビだね。派手な登場ですね。どうです、そちらの様子は？」
オオスミ「はい、台風一過でカラっと晴れ上がっています。ピュ〜ッ！」
アナウンサー「あ、オオスミ君、顔から水が吹き出してますよ」
オオスミ「はい、私のことは人間噴水と呼んで下さい。ピュ〜〜ッ！」
アナ「人間噴水？　風はどうですか？」
オオスミ「はい、そよ風が吹いていますが、わ〜、ひら〜」
アナウンサー「もうタンポポですね」

この中継を横でジーっと見ていたのが、華厳のお竜とスタッフたち！

スタッフ「お竜さん、完全に負けましたね。土石流から出てきて、人間噴水もやり、しかも風速二mであんなに飛ばされたんじゃ、敵いっこありません」
お竜「いや、あたしは負けないわ。もっと凄いことを考えるわよ。ねえ、中継まであと十五分あるわね。あ、ねえねえ、ちょっと……、ヒソヒソ」
スタッフ「え？　あの押し潰された家に、カメラ、音声、照明の全員で中へ入って下敷きになる？

そんな、メチャクチャです。第一それじゃヤラセじゃないですか？」
お竜「何言ってんの。ヤラセと言うのは他人に頼んでさせるからヤラセよ。私たちは自分でやるのよ。ヤラセじゃなくヤルヨよ。あなた、それでも男？　負けて悔しくないの？　いいから来なさ〜い」
スタッフ「ハイー！」

無理矢理スタッフを連れて、潰れた家の中へ這って入っていって、「その出口をタンスでふさぎなさーい！」ってふさいじゃった。
やがて、中継になると

お竜「華厳のお竜でーす。今、スタッフと一緒に潰れた家の下敷きです。これが生き埋め生中継でーす」
アナウンサー（フジ）「生き埋め生中継？　あ、本当だ。お竜さーん、洋服ダンスの下敷きになって大丈夫？」
お竜「はい、カメラマンは冷蔵庫の下敷きになりながらカメラをまわしてまーす。現場ディレクターは、洋ダンスの中に入ってキューを出しています」
アナウンサー（フジ）「あの、直ぐ救助を呼びましょう！」

お竜「いえ、大丈夫です。十分後にワン・ツー・スリーで脱出してみせます」
アナウンサー（フジ）「引田天功ですね。では十分だけ待ってみまーす！」

それを横で見ていた十倍レポーターとディレクター。

ディレクター「しかし、生き埋め生中継には負けたなあ」
オオスミ「いや、大丈夫です。ボクは十倍レポーター！　絶対に負けません。勝ちましょう！
　次の中継の時、オーソドックスに中継に入りましょう。考えがあります」
ディレクター「そう？　じゃあ、わかった」

そしてその十分後に、ニュース・プラス・ゼロの二度目の中継がやってきた。

オオスミ「土石流にも負けない十倍レポーターのオオスミです。ボクは風速二ｍで飛べるのですが、好きな場所に飛ぶことができます。それでは、あの潰れた家の屋根の上に飛びましょう！」
アナウンサー「飛ぶぞ宣言が出ましたね」
オオスミ「あ、風が、風が、ヒュ〜、ストン！　はい、ご覧の通り潰れた家の屋根に着地しました。ここにフジのレポーターとスタッフが生き埋めになっていますが、どの辺で生き埋めになっているか、探してみましょう！」

ミシッ、ミシッ！

お竜「コラー！　上を歩くな！　ホントに生き埋めになっちゃうでしょう〜！」
オオスミ「この下にいます。大丈夫ですか。ドンドン！」

ベリバリベリバリバリリリリリイ！　ドサッーン！

お竜「くく、痛い〜い。バカ、本当に生き埋めになっちゃうじゃないの！　わあ、助けて〜！」
オオスミ「大変です。なんとか助けたいと思います。丸太のようなものがあれば、それで入口をこじ開けて中に……、あ、ありました。隣の家がつっかい棒でかろうじて建っています。このつっかい棒をはずして……、うん、よっ、よっ……、何しろ体重が十kgしかありませんのでなかなか……、ADさん手伝って下さい。よっ、あ、はずれた……、あ、あ、あ、向こう側へ倒れる〜！」

生き埋めになってる家の屋根にドタ〜〜ン！　グッシャーン！　ヒーッ！

オオスミ「これで生存の望みはなくなりました。冥福を祈りましょう！　良い人は早く死にます」
お竜「バカー！　まだ死んじゃいないよ！　わあぁ、痛いよ～」
　すると今度は、つっかい棒を外した家がグラグラグラグラ～ッと倒れ始めて、中からこの家の住民家族がぎゃ～っと飛び出してきた。
オオスミ「いやあ、自然の猛威は本当に恐ろしいものですね」
住民「バカ！　何が自然の猛威だ。お前の猛威の方が恐ろしい。よくも家を潰してくれたな！」
オオスミ「住民たちはやり場のない怒りを口々に訴えていますねぇ」
住民「いい加減にしろ！　お前がやり場なんだ。このヤロー！　あ、お巡りさんが来たぞ。お巡りさ～ん！　こっち、こっち。コイツを捕まえて下さい。ウチを壊したんです」
巡査「何？　救助じゃなく家を壊しただと。とんでもない奴だ。器物破損の現行犯で逮捕するー！」
　とうとうこの男は捕まって、裁判でなんと懲役三十年の判決が下った。
オオスミ「裁判長、長過ぎるよ。なんで懲役が三十年なんだ」

裁判長「君が十倍レポーターだけに、罪も十倍にしておいた」

おなじみの十倍レポーターでございます。

ぬう生時代

さすらい地蔵

さすらいじぞう●一九九七年初演

Sasurai Jizo

さすらい地蔵は遠野に実在し、それを元にしてこの噺を作った。一度だけやったが、あまりウケなかった。少し牧歌的でのどかな感じの落語で、今までやったことのない感じの噺だ。ウケない原因はよくわからない。

東北にある、河童伝説が残る小さな片田舎の町を、一人の男が史跡めぐりをしている時のことでした。

男「いやいや、この町はいいねえ。昔、子供の頃に遊んだような雰囲気があって。なんだ、あそこの河原の土手で、地元の小学生たちが元気に外遊びしてるぞ。子供が変なものに乗って草すべりをしてる……、なんだろう、六、七十cmくらいの石に紐をつけて、ヨイショ、ヨイショと土手の上まで運んで、別の二人の子がその石に乗って……」

子供①「行くぞ、それー！　ピシ～っ、行けー！　ズルズル～」

子供②「さあ、今度は俺が乗るぞ。ジャンケンポン！　あっ、また負けた！」

子供①「さあ、スタート！　行けー！　ピシッ！　ズルズル～」

男「変わった遊びだな。ねえ、坊やたち、この辺の子はみんな石で草すべりをするの？」

子供①「石で草すべり？　しねえよな。これ、石じゃないの。お地蔵さんだよ！」

男「えっ、お地蔵さん？　お地蔵さんに乗って遊んでるの？」

子供①「そうだよ。ほら、あすこに小さい御堂があって、あすこのお地蔵さんだぜ！」

男「お地蔵さんに乗って草すべり！」

子供①「おい、もう草すべり飽きたから、今度は地蔵転がしをやろうぜ。お地蔵さん転がして、裏か表かどっちか当てるんだ！」

子供②「そんなのおもしろくねえよ。それより地蔵オシッコかけごっこやろうぜ！」
子供①「地蔵オシッコかけ？　それ、どーゆーんだよ？」
子供②「ただオシッコをみんなでかけるの！」
子供①「おもしれえじゃん。やろやろやろやろ！」
子供③「俺もやっちゃお！」
子供②「それ、地蔵のお腹にションベンジョジョジョリン！　地蔵の足のオシッコチョロチョロ。地蔵のケツにオシッコチューコラチョ。チューコラチュ、チョーロチョーロ」
子供①「さあ、もっともっとオシッコかけちゃえ～、ジョンジョロリンジョンジョロリン」
男「このこのこの、このクソガキめ！　こらあ！　お前たち、お地蔵さんになんてことをすんだ」
子供①「わあ、変なオヤジが怒ったぞ。わ～～い、逃げろー！　キャー！」
男「まったく、なんて連中だ。都会の中高生がオヤジ狩りなら、今時の田舎のガキは地蔵狩りかよ。ホントにもう、お地蔵さんで滑るわ転がすわ、オシッコ引っかけるわ！　このお地蔵さん、毎日、転がされたり引きずられたりして泥だらけにされて、すっかり擦り減ってるじゃないか。腹が立つな。酷い扱いされてたんだねえ。お地蔵さん、すいませんね。まだ子供のしたことですから、勘弁して下さい。さあ、あそこのお堂がそうだってんだから、元に戻してこよう。この紐が掛かってるから、これを引きずって、ズルズルズル……」

それからお堂へ持ってきて手水舎の水で綺麗に洗って、

男「さて、ええと、この地蔵さんを立てると……、酷いね。顔も足ももう取れてすり減っちゃって。よし、立ったぞ。ホント、お地蔵様、すみませんでした。あの子たちも悪気でやった訳じゃない。ただのバカですから、許してやって下さい。また通りかかったらお参りに来ますんで、ナンマンダブナンマンダブ……」

すると、後ろに地元の年寄りがやってきて、

老人「いや、アンタ偉い人じゃな。このお地蔵さんを洗って立てて、何にも知らずに帰って行く。罰が当たるのも知らず、帰る。ホント、アンタはエライなあ。ささ、帰りなさい」

男「ちょ、ちょっと待って下さい。あの、どうも、なんか、このお地蔵さんには、何かまずいことでもあるんで？」

老人「わしは、ここの御堂の堂守りをしてるもんじゃ。わざわざ、このお地蔵さんを持って来なすったか？　あ～あ、アンタは、ついておらん。ああ、気の毒に」

男「ちょ、ちょっと待って下さい。それじゃあ、このお地蔵さん、元に戻しちゃいけないみたいですが……」

老人「ありゃ〜、じゃアンタは、このお地蔵さんの名前をご存じない？」
男「はい、知りません。なんて名前なんです？」
老人「これは、さすらい地蔵と言ってな、いつもさすらっておるのが好きなんじゃ。だから、地蔵さんを元の御堂に連れ帰すと機嫌が悪くなる。それにしかも、体を洗ったり綺麗にされるのが嫌いんなんじゃ」
男「機嫌が悪くなる？」
老人「そうじゃ。機嫌が悪いと天罰を下すことがある」
男「て、天罰ですか？」
老人「でもなんじゃろ、その時、一緒に遊んでいたのは女の子じゃったろ？　……何、男の子？　そりゃまずいな」
男「まずいって、なんでですか？」
老人「実は、このお地蔵さんは女性でな、男の子と遊ぶのが大好きなんじゃ。自分の好きな男の子と遊んでいるのを邪魔されると、地蔵様は怒って天罰を下すとか……」
男「天罰？」
老人「でもなんじゃろ。あんたは、この町の人間じゃろ？」
男「いえ、東京からです」
老人「東京はまずいな。あの地蔵さんは、東京モンが嫌いなんじゃ、東京モンで、しかもお地蔵さんを連れ帰ったとなるともう、相当酷い天罰が下る」
男「そんなに酷い天罰が下るんですか？」
老人「いやいや、そんなことはありゃせんよ。大丈夫。気にせんでいい。ただアンタの額に死という文字が浮き出とるだけじゃ。さあさあ、お帰り！」
男「帰れませんよ。ホントに天罰か何かあるんですか？」
老人「ハハハ、いやいや、それほどのことはない。これは、言い伝えじゃからな。なんでもない。まあ、帰りの新幹線の車内で突然血を吐いて、車内販売の女の子から、コーヒーの熱湯をかけられるくらいなもんじゃ。さあさあ、お帰り！」
男「ちょっと待って下さい。ねえ、おじいさん、本当にそんなコトがあったんですか？」
老人「いやいや、大昔の先月！」
男「先月なら大昔じゃない、最近ですよ。先月どうしたんですか？」
老人「いや、だからね、アンタのようなことをした男、家へ帰って夕食を食べたら、急に目玉がピューンと出て、近くの病院で診てもらったら、直ぐに手術だって。そんでもって喉を取られて、話せんようになって全快！　奥さんが、でも先生、ウチの主人は目玉が後ろにくっついたままですよと言ったら、それでは、後ろに歩くリハビリで治しましょって。それからこの男、後ろを向いて歩くようになったら、前からきたダンプカーに跳ねられて死んだ」
男「ホントですか？　お、おじいさん、なんとか罰が当たらないようにするには、ど、ど、どうしたらいいんで？」

老人「そりゃまあ、そのさすらい地蔵さんを元あった場所に戻すしかない」

男「そうですか。じゃ元の場所に置いてきます！」

老人「その方がええな。あー、ワシの家は、ここから行った五軒目のタバコ屋じゃ。もしなんかあったら訪ねて来なさい」

男「ハイ、わかりました」

老人「じゃあな。気をつけてな」

男「はあ、なんかとんでもないことになっちゃった。どうも、お地蔵さん、すみませんね。綺麗にしたりなんかして。とりあえず下りましょう。どっこいしょ。へへへッ、どうも、へへへッ。怒ってないですよね。へへへッ。じゃ戻りましょうか。へへへッ、絶対怒ってない。なんとか機嫌をとらないとまずいな。ズルズルズルズル、ゴチン！　あ、石が当たった。痛かったですか。怒っちゃいやですよ。ホントになでなでしましょうね。なでなでなでなで、チチンプイプイ、はい、治った。ハハハ、まだ怒ってそうだな。ズルズルズルズル、あ、この辺りだったよな。あのう、お地蔵さん、ちゃんと、元に戻しましたよね。これで帰ろうと思うんですが、大丈夫ですよね。後になって、お前だけは許さん。目玉がピューンと飛び出して、女房の奴に目玉が二個くっついて、女房が四つ目になっちゃうとかないですよね。なんか、帰りにくいなあ。さあ、泥をつけましょう。ほんの心ばかりの気持ちで……、ほっぺにも塗っときましょうね。……あら、お地蔵さん変わった顔してますね。おでこが出ちゃって……、あ、こりゃ足か。顔はこっちだ。もう、擦り減っててどっちが頭か足かわからない。すみません。怒ったりしないですよね。ほっぺたに泥をグチャグチャ。……、地蔵さん、若々しいなあ。時にお地蔵さん、あなたのお年はおいくつですか。六百三十歳、いや、六百三十歳とはたいそうお若く見えます。どう見ても百七十歳！　ってなんだかわからないよ」

老人「いやあ、アンタは偉い！」

男「さっきのおじいさんだ。どうしたんですか？」

老人「いやあ、アンタにうっかり言い忘れたことがあって戻って来たんじゃ。さっき、元の場所へ戻せばお地蔵さんが許してくれると言ったのはな、それは、地元の人間の時の話なんだ」

男「え？」

老人「アンタは東京モンだろ。去年だったか、アンタと同じように元に戻した東京モンがいて、帰って寝たら夢枕にお地蔵さんが立って、そんなコトで許してもらえるなんて思うな。祟ってやるー！　ってパッと目を開けたら、ハエがブーンと飛んで来て口の中に。またブーンと来て口の中に。ハエがハイに一匹ずつ入ってこりゃハエガンだ。ハイ摘出！　肺を二個取ったから手術は成功したが死んじゃった。死因は呼吸困難！」

男「ホントですか。怖いなあ。じゃあ、どうしたらいいんでしょう？」

老人「そりゃ簡単だ！　お地蔵さんが喜ぶようなコトをしてあげりゃいいんだ。ここから二百m

先に地蔵公園というのがあってな、そこには元々地蔵堂があって、このお地蔵さんがおったトコじゃがな。そこへお地蔵さんを連れてって、大好きなブランコでも乗せてやるんじゃな」
男「え？　お地蔵さんがブランコに乗るんですか？」
老人「もう、ブランコが大好きでな。いやいや、行けばわかる。地蔵専用のブランコがある！」
男「専用のブランコ？　では、それをやれば許してくれるんですか。わかりました。じゃあ、行ってみます」
老人「まあ、頑張ってな」

それから、ズルズルズルズルお地蔵さんを引きずって、やっと、この公園にやって来た。

男「地蔵公園だ。あ、ブランコがあって。一番端のブランコにお地蔵さん専用って、書いてあるよ。台に金網のカゴがあって、はあ、この中に入れるのか。とにかく早くやって東京に帰ろう。もう疲れちゃった！　お地蔵さん、ブランコに乗りましょうね。へへへッ、どっこいしょ、ハイ、入った。じゃ押しますよ。ハイ～ッ、元気かな。お地蔵さん、ハイ～ッ、どうかな～、いないいないいないバァ～、おもしろいかなあ。おじさん全然おもしろくないよ～、バァ」
老人「いやあ、アンタは偉い！　やっておるな」
男「あ、おじいさん。どうです、こんなもんで？」

老人「で、ブランコの前にお地蔵さんのマッサージをしたんじゃろうな？　遊ぶ前の準備体操として……、何、しておらん？　このお地蔵さんは、必ずマッサージをしてから遊ぶ習わしなんじゃ！」
男「いや、だけど、お地蔵さんをマッサージって……」
老人「そーか、イヤか。世の中は無情じゃなあ。あー、またここに一人、狂い死にする者が……」
男「や、やります。もうマッサージは大好きですから」
老人「では元気にマッサージ始め！」
男「ハイ、お地蔵さん、肩を揉みましょうか。へへへッ、大分凝ってますね。それから次はボディマッサージ。お腹を押しましょうか。ダンナ、消化器が悪いんじゃないですか。いや張ってますよ。だけどダンナは、御影のいい体してますな。ポンポンポンポン！　ハイ、お地蔵さん一丁上がり！」
老人「アンタ、うまいコト言って手を抜きおったな。マッサージの基本は肩たたきじゃ。さあ、力いっぱい肩たたきじゃ！」
男「ちょっと待って下さい。だって石のお地蔵さんですよ。手が痛い……」
老人「アンタ、肩たたきをしなかったら、どんな祟りが……」
男「やりますよ。陽気に元気に力いっぱい、さあ、歌いながら叩いて！　地蔵さんお肩を叩きましょ……、イテテテ、タントン、イテテテ、タントン、イテテテ。さあ、これでいいですか？」
老人「準備運動が終わったから、次はお地蔵さんと遊びなさい。では、高い高いを始めよう！」
男「おじいさん、それは無理ですよ。こんな重いのは」
老人「何を言っとるんじゃ、男のくせに。ホラ、高い高いだ！　始め～！」
男「え、じゃあ、高い高い高～い」
老人「ちっとも高くないじゃないか！　アンタは不器用な男だな。ちゃんと立って、お地蔵さんを下から上へ引き上げるんだ。さあ、始め！」
男「うーん、高い高い高～い！」
老人「そうじゃ、そうじゃ、その調子だ。それで上へボンと投げて、高い高い。そこでお地蔵さんを顔で受ける！」
男「顔が潰れちゃいますよ！」
老人「さあ、それが済んだら、次は楽しそうに歌いながらニラメッコじゃ！」
男「え、ニラメッコ……、やりますよ。お地蔵さん、お地蔵さん、ニラメッコしましょ、笑うと負けよ、あっぷっぷー」
老人「ハイ、地蔵さんの勝ち～！」
男「そりゃ勝ちますよ。お地蔵さんは笑わないんだから！」
老人「さあさあ、もう、ニラメッコはいい。次はお地蔵さんと楽しい遠足をして夜十時解散！」

男「おじいさん、いい加減にして下さいよ。今日中に東京に帰るんです。ですから、もっと簡単にお地蔵さんが許してくれる方法はないんですか？」

老人「そーか、そりゃ困ったな。では、書くもんあるかね？　いいかね。アンタはさすらい地蔵さんに手を合わせたら、こう唱える。オン、カカカヒサンマエィ、ソワロ～ッ！　これを三回唱えれば、決して祟られたりするコトはない」

男「ありがとうございます。ではこの、オン、カカカヒサンマエィ、ソワロ～ッ！　これ三回でオッケー。恩に着ます。いやあ、さすがは年の功ですね。よくこんな秘密のまじないを知ってますね？」

老人「秘密のまじない？　何言っとる。こんなモン、お地蔵さんに手を合わせる時の決まり文句の真言じゃ。昔なら子供だって知っとるようなコトだ！」

男「おじいさん、ならどーしてそれを最初から教えてくれなかったんですか？」

老人「ナニを言っとるんだ。それをハナから教えたら、わしの予定がなくなっちまう！」

男「冗談言っちゃいけない」

幽霊物件コレクター

ゆうれいぶっけんこれくたー

●二〇〇三年初演・二〇〇六年改・二〇一一年改

落語21まつり用に簡単なものをと思い、このネタを作る。
ややブラックな作品。
ネタおろしはどうもそれほど芳しいものではなかったので、
その後、前半を刈り込み、更に後半をつけて完成。
果たしてウケるのか？

Haunted Property Collector

今日は『幽霊物件コレクター』ってお噺です。私はあまり怖いことを経験したことがありませんが、ただ最近気になってることが一つだけあります。この一、二年、自分が死ぬ夢を度々見るんです。どうしてだろう？　アレコレ考えて、遂にその原因がわかりました。それは寝方にあったんです。私は寝る時うつ伏せになって寝るんですが、問題は足なんです。右足を真直ぐ伸ばし、左足を右足の膝あたりに乗せるんです。つまり、下半身だけ見ると数字の「4」！　つまり、「死」の形！　自分で死の形を作ってた訳なんです。これはまずい！　そこで足の形をめでたく末広がりの「八」にして寝るようにした。寝る時は確かに「八」の字なんですが、朝起きるとこれが、「4(死)」に戻っている。だから今も死ぬ夢を見るんですね。こういうことはありますね。最近寝ると、なぜか苦しくて苦しくて！　と思っていたら、寝る時に体全体で丸まって「9」を作ってますね。この寝方は苦しい、なんて言いながら、そのまま寝てますね。さて、本編です。

東京近郊、埼玉のとある不動産屋に、フラッと一人の男が訪ねて来た。

男「ああ、どうも」
不動産屋「ええ、いらっしゃいませ」
男「あの、お宅はこの辺じゃ一番古い不動産屋と聞いたんだけどね」
不動産屋「ハイ、うちは親父の代からの不動産屋ですから、もう五十年近くやっています」

男「いいねえ。私が探しているのは、曰く付きの怖い物件なんだよ」
不動産屋「えっ、曰く付きの怖い物件？　ああ、あります！　ええと、これです。築三年の中古物件。これはいいですよ。水道を捻ると都市ガスが出てくるし、柱に触ると家が倒れ下敷きになって死ぬ。ねえ、怖いでしょ？」
男「何を言ってるんだよ！　別に欠陥住宅がほしい訳じゃないんだ。いいかい、曰く付きの怖い物件だよ」
不動産屋「ええと……、じゃあ、これはどうです？　これは欠陥住宅じゃないんです。築十八年ですけど、家が異常にジメジメしていて、キノコが生えてくるんです。柱からはサルノコシカケが生えてきて、このサルノコシカケに腰掛けてマタンゴを食べるという、実にエコロジーな物件」
男「なんだいそのマタンゴって？　あのねえ、別にキノコの栽培しようって訳じゃないんだよ。もう他にないの？」
不動産屋「そうですか……、ええと……、他には……、あ、ありました。これは本当に怖いですよ。極め付きの中古住宅。この物件、実は沼地に家を建てたんですが、ちゃんと埋め立てをしなかったんです。だから人が一人家に入ると、その重みで五㎝家が下がる。家族で荷物を入れて引っ越すと、家族と荷物の重みで家が沈んで、朝になると家がなくなってしまうんです。そして四年後の満月の夜、再びその家が浮きあがるという、ファンタジー・ホラー・アドベンチャー物件ですけど、買うでしょ？」
男「誰がそんな物件ほしいんだよ。第一、今は沈んでるんだろ？」
不動産屋「はい。でも大丈夫です。来年の五月になると、再び浮上します」
男「そんな滅多に浮上しない横浜ベイスターズみたいな物件、誰が買うんだよ。そうじゃないの。いい？　曰く付きの物件というのは、夜な夜な女の呻き声が聞こえるとか、非業な最後を遂げた人が幽霊になって出るとか、そういう物件のことなんだよ。長年不動産屋をやっている訳だろ？　そういう物件にも詳しいだろうと思ってここに来たんだよ。私はねえ、お化けの出る物件を買い漁る、幽霊物件コレクターなんだ」
不動産屋「えっ、幽霊物件コレクター？　幽霊の出る物件をお探しですか？　珍しい方ですね。なんでまたそういう物件をお探しで？」
男「いいかい、日本では幽霊が出るような物件はほとんど買い手がつかず、不動産価値が下がるだろ。ところが欧米じゃ全く逆なんだよ」
不動産屋「逆って言いますと？」
男「イギリスなんかよく幽霊屋敷とかあるだろ？　向こうじゃ幽霊が出るお屋敷は、逆に付加価値がついて不動産価値が上がるんだ」
不動産屋「えっ、イギリスじゃ幽霊が出ると不動産価値が上がる？」
男「当然だろ。夜トイレに起きて、廊下ですれ違ったニッコリ笑った美人が、実は三百年前のお姫様の幽霊だったら、会いに行きたくなるだろ？」
不動産屋「そりゃ、そうですね」
男「だから欧米じゃ、幽霊の出る物件は付加価値ということで値が上がるんだ。それが世界の常識なんだ。だからいずれ日本も、幽霊の出る物件は値上がりするようになる。そこで私は、値段が安い今のうちに、優良な幽霊物件を買い漁っているって訳なんだよ」
不動産屋「ああ、なるほど、そうですか」
男「その中でも特に探しているのは、モノ系の幽霊が出る物件だ」
不動産屋「モノ系の幽霊っていいますと？」
男「イギリスなんかでは、機関車の幽霊なんてものが出るんだ。そういうのはないかね？」
不動産屋「ん〜、幽霊機関車はないですね」
男「じゃ、夜な夜な昔のオート三輪が出る、なんて物件はない？」
不動産屋「ないですねえ、そういうのは」
男「じゃ、夜になると廊下を冷蔵庫の幽霊が出てきて、私、ぞう子よ、なんてない？」
不動産屋「ありません」
男「そうか、じゃ仕方がない。人間の幽霊の出る物件でいいよ。ない？」
不動産屋「幽霊が出る物件ですか？　ええと……、あ、あっ、思い出した。ええと……、これ、これです！　もうズ〜ッと買い手つかずの物件が……、ハイ、これは十二年前に心中がありました、その後、幽霊が出るという物件があります」
男「今なんつったの？　えっ、心中？　心中。いやあ、心に響くイイ言葉だねえ。心中と聞くと、
あ〜、癒される……、ああ、リラクゼーション」
不動産屋「リラクゼーション？　変な奴が来ちゃったな」
男「もうね、私は大変な無理心中オタク」
不動産屋「無理心中オタク？　凄いオタクですね」
男「そう。だから私の座右の銘が無理心中だ」
不動産屋「何言ってるんですか、座右の銘が無理心中って。それでこの物件、気に入って頂けま
したでしょうか？」
男「もちろんだ。そういう物件を探しているんだよ。うん、いいねえ。本物の曰く付き物件だな。
で、何人で無理心中したの？」
不動産屋「二人です」
男「二人？　まあ、少し少ないが、いいだろう。で、無理心中の凶器は何なの？」
不動産屋「包丁です。」
男「えっ、包丁で無理心中！　うん、ラッキー！」
不動産屋「何がラッキーなんですか。では、お気に入りましたか？」
男「もちろんだよ。包丁で無理心中、いいねえ。包丁で死ぬのが無理心中の王道だね」

不動産屋「はあ、王道ですか?」

男「そう、王道。いいね。包丁で無理心中は私の好みだね。包丁で刺すと生温かい血がドクドクっと流れ出て、とってもハートウォーミング」

不動産屋「変な人ですね」

男「これが同じ心中でも、自殺サイトで誘い合って、いじけて練炭で火を起こして死ぬ奴なんて最悪だよ。そんな奴は、丸めて練炭にしてやりたい」

不動産屋「とんでもないこと言いますね」

男「それで、その凶器の包丁は百円ショップの包丁じゃないだろね?」

不動産屋「えっ、百円ショップの包丁だとまずい?」

男「当り前だよ! 大体百円で死のうなんて考え方がケチなんだ。同じ死ぬんなら包丁の老舗、日本橋の木屋まで行って〝兼光〟なんて銘が入っているので刺す。これが正しい無理心中のマナーだよ」

不動産屋「無理心中にマナーがあるんですか?」

男「そう。百円ショップの包丁なんか全然切れないわ、刺すとグニャと折れるわ、もう最悪だよ。それで包丁の種類はなんだった?」

不動産屋「ええと……、あれは確か柳葉包丁でした」

男「えっ、柳葉包丁ってあのよく切れる、血が一杯出る柳葉包丁だろ? おい、やったね。いやあ、今日は大安吉日じゃん」
不動産屋「何が大安吉日ですか」
男「いやいや、凶器が柳葉包丁とはいいね！　冷たく光る刃には、どこまでも肉を切ろうという力と冷酷さが同居しているんだ。柳葉包丁は通好み。いぶし銀のような事件だね。もう先代柳家小さんみたいな事件だ」
不動産屋「小さんみたいな事件って、どういう事件なんですか？　とにかく、現場は一面血の海だったそうですよ」
男「えっ、血の海？　血の海！　と来たら、もう青春だ〜っ！」
不動産屋「なんで血の海が青春なんですか？」
男「昔、竜雷太の『血の海に吠えろ』って青春ドラマがあったろ？」
不動産屋「ありませんよ。そんなの」
男「すると、その無理心中で亡くなったのは奥さんとダンナの二人？」
不動産屋「ええ、そうなんです」
男「ふ〜ん、それで、ご主人と奥さんの歳はいくつ？」
不動産屋「はい、八十八歳の奥さんが九十四歳の寝たきり亭主の看病に疲れ、旦那を刺して無理心中したんです」
男「じゃ、出てくる幽霊は誰なの？」

不動産屋「殺された九十四歳の寝たきり老人です。寝たきりの横になったままの姿で、オムツ換えて〜、と出てくる。それでオムツを換えてやると、また来週来てねと言って、介護の予約をして消える。ホント怖いでしょ？」

男「どこが怖いんだよ！　寝たきりの幽霊？　そんな幽霊の出る家なんかほしくないよ。いいかい、そもそも幽霊にはランクがあるんだ」

不動産屋「えっ、幽霊にランクが？」

男「当たり前だろ。いいかい？　そんな寝たきりジイサン幽霊なんか見たいかよ？」

不動産屋「いや、そりゃ見たくはないです」

男「そうだろ。誰も見たくない寝たきり幽霊は最低のFランクだ。それじゃ不動産価値が下がるだろ。みんなが見たい幽霊が出るから、不動産価値も上がるんだよ」

不動産屋「ああ、なるほど、そう言われるとそうですね」

男「いいかい、基本的に幽霊は女性だからいいの。あの『四谷怪談』だって、お岩さんが女性だからいいんだ。もしあれが岩蔵って言う八十二歳のジイサンだったら、誰も見たくないだろ？」

不動産屋「確かにそうですね」

男「だから幽霊は女なの。それも、二十〜三十代の若い女性がいいんだよ。男の幽霊で見たいのは、ごく限られているんだ。男の幽霊が出る物件でほしいのは、このリストに書き出しである」
不動産屋「はあ、そうですか。どういう物件なんです？」
男「男の幽霊でほしい物件、まずは、鎧武者の出るライオンズ・マンション！」
不動産屋「いや、そんなマンションないですよ」
男「そうなの？　じゃあこれは？　平家の落武者と徳川家康が同居しているへーベルハウス！」
不動産屋「ありませんよ、そんなの」
男「そうか。じゃあやっぱり、若い女の幽霊が出て来る物件はないの？　でも、女の死んだ原因が生活苦とか、保険金目当てなんてみみっちいのは駄目だよ」
不動産屋「じゃ、どういうのがいいんですか？」
男「よくぞ聞いてくれました。いい？　私の求めている事件のテーマは男女のもつれだ！」
不動産屋「男女のもつれ？」
男「男と女がもつれにもつれ、痴情の果て、愛欲の果てにと……、そういうのが好き！」
不動産屋「はあ、そうですか。」
男「とにかく事件の原因は男女のもつれ！　嫉妬の炎の果て、思い余った男が最後、女の胸に包丁をグサッ！　すると豊満な乳房が、ユサッ、ドタッ、というエロチシズム！　君のところの物件にはエロチシズムがない！」
不動産屋「なんで不動産にエロチシズムがなきゃいけないんですか！」

男「うるさい！　とにかく若い女が被害者という物件はないのか？」
不動産屋「若い女性が被害者ねえ……、あっ、ありました。これは六年前のことです。被害者は二十七歳のシングル・マザーと、三歳になる女の子です」
男「えっ、シングル・マザー！　いいね、いいね！」
不動産屋「これは惨殺事件です」
男「惨殺！　う〜っ、もうたまりません！　惨殺！　〝ザン〟がいい。惨殺、残酷、残忍、好きだ。しかもその後に〝サッ〟。好きだ。千円札、五千円札、一万円札、最近見かけなくなった二千円札！　もうサッ大好き」
不動産「ただのお金好きじゃないですか」
男「うるさい！　とにかくザンもサッも大好きなんだ。三歳の女の子か。事件に子供がいるとかわいそうで同情するからいいねえ。悲しむ自分と喜ぶ自分が交差しながら微妙に喜んでる私がいる。そういう複雑さが好き」
不動産屋「バカだか利口だかわからないね、この人は」
男「いいなあ。で、この事件の凶器はなんだ？」
不動産屋「斧です」
男「斧？　くえ〜！　ジェイソンみたいに派手でいいな。斧はポイント高いよ」
不動産屋「ポイント？」

男「そうだよ。憎しみが斧を持たせるんだ。斧はいいねえ。日本の凶器の最高峰が柳葉包丁なら、世界の凶器の最高峰が斧だよ。とにかく斧は最高。斧と来ると、燃えるなあ。すると血なんかドバババ〜アっ、動脈から血がピピピピ〜〜っ、脳からピョピョピョ〜〜っ、骨がバリバリバリ〜〜っ！」
不動産屋「ちょっとお客さん、ツバキを飛ばさないで下さいよ、汚いなあ」
男「夜な夜な女の啜り泣く声に混じって、斧を振る鈍いズドッズドッという音が聞こえるんだ。バシバシのドンドンドンのズッタズタ、ガッツガツのズッカズッカのドザッドサッって！　さあ、お前も一緒にやれ！」
不動産屋「いやですよ」
男「よし、犯人はフラれた男だ。彼女に新しい男ができて、嫉妬に狂って殺したんだろ？　そうなんだろ？」
不動産屋「いえ、殺されたのは彼女の飼っていた犬です」
男「え、犬？」
不動産屋「はい。それで犯人はその犬に噛まれた男です」
男「そんな、そんなんじゃエロチシズムがない！」
不動産屋「いや、その犬は三歳の女ざかり、豊満なナイスバディのメス犬です」
男「冗談言っちゃいけねえ」

ブラック・ザウルス

ぶらっくざうるす●一九八〇年初演・一九八一年改

宝塚を一度観てみようと、日比谷の東京宝塚劇場へ行った。
その時初めて、売り出し中の月組トップ・スター大地真央を見た。
正直、演技は大根だったけれど、
彼女がみんなと並んでポーズを取ると、その瞬間光り輝く。
その一回観ただけだが、頭の中は大地真央だらけになってしまい、
それでこのブラック・ザウルスという噺ができた。

Black Saurus

七月一日午後三時二十分、墨田川の松屋裏に巨大な怪獣が出現した。全長二百m、怪獣の中の怪獣、怪獣の魔王、魔王怪獣が、松屋裏に現れて、

ヅカッ！　ヅカッ！　マオ〜！

ヅカッ！　ヅカッ！　マオ〜！


浅草国際劇場、SKD東京踊りにガシャーン！　SKD全員死亡！

マオ〜！

今度は足を大股に広げて、浅草演芸ホールをガシャーーン！　支配人、門間金三郎以下三十二名、全員死亡！

そして、その五軒先の松竹演芸場にもガシャーン！　出演していたツービート、B&B以下四十六名即死！

ヅカッ！　ヅカッ！　マオ〜！

今度は上野鈴本をガシャーン！　落語協会柳家小さん以下、幹部全員死亡！

ヅカッ！　ヅカッ！　マオ〜！

そして東銀座の歌舞伎座、萬屋錦之介の『大江戸五人男』ガッシャーン！　ググググ〜〜！

百二十人即死！

ヅカッ！　ヅカッ！　マオ〜〜！

日劇ミュージックホールをガシャーン！　スケベな客、全員悶絶死！

帝国劇場、森繁の『屋根の上のバイオリン弾き』。ガンガン！　ガンガン！　ガンガン地面が凹んで『屋根の上のバイオリン弾き』が『地面の下のバイオリン弾き』になっちゃった。

三千五百名死亡！


しかし、よく死にますなぁ。これだけ死ぬ落語も珍しいですな。

そしてあの日比谷宝塚へ。ヅカッヅカッ！　先ほどからただヅカッ！　ヅカッ！　言ってた訳じゃなくて、このヅカッ！　は、宝塚のヅカなんです。決して三遊亭圓楽さんの竹ノ塚のヅカじゃないんです。実は、何を隠そうこの怪獣は、大変な宝塚ファンなんです。だから、わざわざ浅草に上陸して、商売仇になるような所を軒並み踏み潰してきたんです。特にＳＫＤは、念を入れて潰しました。

だんだん宝塚へ近づくにしたがって、歩き方も変わってきた。

ツキ！　ツキ！　マオ〜！　ツキ！　ツキ！　マオ〜！

このツキ！　ツキ！　というのも、そうです。宝塚月組のことを言ってる訳です。マオ〜〜！も、自分のことじゃありません。なぜ、マオ〜！　と言うのか。それは、月組のスター、大地真央のことであります。

知ってますか、大地マオ〜！　宝石箱のＣＭに出てる、三年後の宝塚を背負って立つ、背負わなければ、僕ちゃんが背負わしてあげちゃうという大地真央！
この真央ちゃんに怪獣の奴もぞっこんでした。大のファン！　そして、怪獣の奴をよく見たら、あまりにも大き過ぎて気がつかなかったが、ちゃんとブロマイドを持っていて、
マオ〜！（ブロマイドを出す）
こんどはこっちの、
マオ〜！（別のブロマイドを出す）

すると、防衛庁の忍者ジェットが怪獣のまわりに、
ブ〜ン、ブ〜ブ〜……、ガブ〜！（つかんで食べる）
マオ〜！
ブ〜ン！　ブ〜ン！　ブ〜〜ブ〜〜ンン！　パチッ！（手でたたく）
ハエですな、まるで。
マオ〜！

そして宝塚切符売り場に手がのびて、
オ〜！　オ〜！　子供一枚！

当人は子供のつもりでして。

しかし、その時、浜松町方面からもう一頭怪獣が現れた。全身まっ黒けっけのブラック・ザウルス！　この怪獣は少し足が変わってる。足の先がトンガってまして、歩くと地面へめりこむ。

マコッ！　マコッ！　イシノ～！

マコッ！　マコッ！　イシノ～！

だいぶわかってきた人が出てきたと思うんですが、念のために、

マコッ！　マコッ！　イシノ～！

そうです、このブラック・ザウルスは、大変な石野真子ちゃんの大ファンだったのです。そして、この怪獣をよ～く見たら、大体全身真っ黒でわからなかったんですが、胸のところが金色に光っていて、富士ヨット学生服を着ていたんです。これが魔王怪獣のところへやってきた。そうです、この両者の決闘がいよいよ始まろうとしていた。

マコッ！　マコッ！　イシノ～！

ヅカッ！　ヅカッ！　マオ〜！（お互いににらみ合いを続ける）
アウ〜！
ウ〜〜！
マオ〜！（ブロマイドを見せる）
ン！　イシノ〜！　マコッ！　マコッ！（石野真子のブロマイドを見せる）
ウ〜〜！　マオ〜！（違うブロマイドを見せる）
ムーン、ア〜！（驚く）
マオ〜！（追い打ちをかけるように）
ウ〜！（小さく）
マオ〜！（小さく）
ウ〜（更に小さく）
マオ〜！
ウ〜……（楽屋に引っ込んで大きなポスターを持ってくる）、マコッ！　マコッ！　イシノ〜！
ウ〜！　マオ〜！
イシノ〜！
ウ〜！

この時、誰も気がつかなかったが、怪獣たちの足元で一匹の犬がこの様子を見ていた。その犬は、目がランランと輝いていた。

ラン、ラン、ラン！

その時、怪獣に尻尾を踏まれると、
キャン！　キャン！　キャンディーズ！

と言って、寂しく去って行きました。そうです、この犬は元キャンディーズの伊藤蘭のファンだったのです。


マオ～！

マコ～！　ウ～！

二頭の怪獣が今にも飛びかからんばかりの時、更にまたまたもう一頭怪獣が現れた。全身毛むくじゃらのヘヤーノザウルス！　どうもノミがいると見えて、ほうぼう掻きながら、
カイ～！　カイ！　バンド！

カイ！　カイ！　バンドー！

もちろんこれは、甲斐バンドのことですな。

マオ～！

マコ～！

カイ！　カイ！　バンドー！

ウァ〜！

とうとう、対決からバトルロイヤルの様相を呈してきた。三頭が取っ組み合いを始めて、最初はドタンバタンドタン、バタァ〜ン！　次にヅカとかマコと言ってた奴らも嫌なノミをうつされて、
カイ、マオ！

カイ、カイ、イシノー！

ってなっちゃった。ドッタッーン、バッタッーン、ゴロゴロゴロゴロ、ドッターン、バッターン、ゴロゴロ。このドッターンで、百人、バッターンで三百人、ゴロが一回で六百人の人が死ぬんだから大変なもんで、こうなると警視庁の方も大変でして、
長官「おい、なんとかならないかねぇ。イヤ、防衛庁はアテにならないんだよ。さっきもジェット機で歯が立たなかったんだから。誰かいないかねぇ、あの怪獣たちをやっつけてくれる人は」

警官「いろいろと連絡はしてるんですけど、困りましたねぇ」

するとどこからか、懐かしい歌が聞こえてきました。

〽真っ赤な太陽燃えている　果てない南の大空に

長官「おい、あれは、もしや、怪傑ハリマオではないか。無事だったんだよ。この有様を見るに見かねてやってきだんだよ」

警官「しかし、ハリマオにあんな大きな怪獣三頭が倒せますかねぇ」

〽アレマオー　アレマオー

警官「ハリマオーじゃありませんよ、アレマオーって歌ってますよ」

長官「アレマオー？」

〽アレマオー　アレマオー　みんなの大地真央！

警官「何ですあの大地真央って！」

〽アレマコー　アレマコー　みんなの石野マコ！　ハッハッハッ！

警官「何か、ヨイショだけして行っちゃいましたよ。あれはハリマオじゃなかったんですよ」
長官「歳月は人を変えるんだよ。今はきっと、東南アジアでピストルの密輪でもやってるんじゃないか」
警官「あのー、やっと鉄腕アトムと連絡がつきました」
長官「じゃ、来てくれるのか？」
警官「それがダメなんです。名古屋に住みつきましてね、すっかり名古屋弁になっちゃって、わし歳だでいかんわ、今は、こっちでワハハいっとるで、ハヤシもあるでヨ〜」
長官「なんだい、それじゃ鉄腕アトムが十年前の南利明かわからない。しょうがないな、他には誰かいないのか？」
警官「長官、やっと鉄人28号が来てくれることになりました」
長官「鉄人28号？　大丈夫かね。28号って、ラジコンみたいにいちいち操作するんだろ？」
警官「いえ、それがマイコン時代ですから、自分で動けるし、喋れるんだそうで」
長官「おう、それなら大丈夫だ」
警官「あっ、28号が怪獣の方へ向かってます！」

ガシャーン！　ガシャーン！　バーロー！

長官「何か迫力あるね」

ガシャーン！　ガシャーン！

バーロー！

マオー！

ビューン！

警官「長官飛んでます！　飛んでます！　ビューンと飛んでく鉄人28号」

長官「バカッ、あれは、飛んでくんじゃない飛ばされたんだ。随分弱いねえ。おい、あれは、鉄人28号か？」

警官「いえ、別人28号です」

『川柳・円丈 骨肉の戦い 仁義なき落語会』のチラシ

なんばん

なんばん●二〇〇七年初演・二〇一〇年改

Nanban

無限落語の二〇〇七年十二月例会でかけようと思い作る。
同世代の正楽さんと話した時、
ダイニングとかトッピングと書いてある店は、
なんとなく警戒して入らないという話をしたことがある。
それをテーマに落語を作ってみた。

大体、いつもこの頃、忘れっぽいから手帳を持って歩いてるんですが、手帳の終わり、ついでの情報みたいなのがあります。一ドルは何元みたいな……、ほとんど必要のない情報が書いてあって、まず見ないんですが、それを先日見たら「箸のマナー」が載っていて勉強になりましたね。してはいけない箸の使い方。セセリ箸。これは箸を爪楊枝代わりにチュッチュッしてはいけないって……いません、そんな奴。箸が太過ぎて爪楊枝の代わりにならない。

それから涙箸。箸の先からお汁を涙のようにポタポタ垂らしながら食べてはいけない……いないっつうんです、そんな奴！

それから三本箸。これは、普通二本の箸で食べるけど、これを三本にして食ってはいけない。だから、いない。五本の指で箸を二本あやつるのだって大変なのに、三本の箸なんて無理。やらないっつうんです。

それから指箸。そばを食うのに箸がない時、指を箸にして食ってはいけない。やらないっていうんです。


三ツ星レストランで有名な『ミシュランガイド東京』が発売されていますが、あのミシュランってのはタイヤの会社ですから、レストランなんかやらないで『東京三ツ星道路』なんてやった方が合ってるんじゃないですかね。四号線、昭和橋から入谷ランプまで、キッチリした基礎工事と熱々アスファルトをかけてでき上がった道路はマッタリとして、タイヤに吸いつくような道路は三ツ星！　なんてやればいいんですよね。
しかし今、東京で食事をしようとか酒を飲もうとか思うと、ホントにいろんな店があります。どれにしようかと迷うぐらい、とにかくいろんな店が多いですね。

義父「有司くん、うちの娘アーヤと一緒になってもう二年！　うまくいってるようだね」
有司「はい、お義父さん。もうマジうまくいってます。マジウマ！」
義父「マジウマ？　いや、娘は少し我儘で、その上強情なんだよ。だから内心、心配だったけどね。マジウマは嬉しいね。どうかね、これからどこかで、軽く二人で食事でも？」
有司「お義父さん、いいっすね。で、どんなお店が？」
義父「ま、気楽に飲み食いできる店でいいじゃないか？」
有司「ああ、気楽に入れる店ですか？　ええと……あっ、ここのお店はどうです？　無国籍料理！　いろんな料理があって気楽でいいですよ」
義父「えっ、無国籍料理？　無国籍は危険だよ。入ったら大昔の日活スター赤木圭一郎みたいな店長が出てきて、お前、俺のアケミに手を出したな、くたばれ、ズドーン！　なんていきなり発砲されて、撃ち合いになったらどうする？」
有司「いえ、それって昔の無国籍映画のことでしょ？　違います。無国籍料理です」
義父「いや無国籍は危険だ。鍋モノ頼んで、でてきた鍋の蓋を取ったら手榴弾が入っていてドカーンとなると危ない」
有司「いや、無国籍ってそういうんじゃないんです。じゃ、お義父さん、隣の店はどうです？　多国籍料理」
義父「多国籍料理？　アメリカのオバマが喜びそうだね。でも多国籍料理屋なんかに入ったら、無理やり外人部隊に入れられてイラクに派遣されない？」
有司「されませんよ。お義父さん、多国籍料理というのは早い話アジアン料理ですよ。どうですか？」
義父「とにかくこういう無国籍とか多国籍とか、海賊料理、山賊料理なんて店には入らないようにしてるんだ」
有司「そうですか、入ってみるとおもしろいですけどね。ええと、あっ、このうどん屋はどうですか？」
義父「うどん、いいね！　さぬきうどんなんか、今流行りだからね。はなまるかい？」
有司「いいえ、ここは『うどんダイニング』です。うどんですから、気楽に入れそうでしょ？　うどんですから」
義父「えっ、うどんダイニングで気楽？　いやいや、こりゃ気楽じゃない。うどんで、しかもダイニングだろ？　こりゃメチャメチャメチャ緊張するよ」
有司「えっ、メチャメチャ緊張って、だってお義父さん、うどんダイニングですよ？」

義父「いやいや、『うどん』だけなら気楽だけど、うどんの後、何の前触れもなく、いきなり『ダイニング』だよ。うどんとダイニングの間には底知れない断絶があり、早い話、関東ローム層に北太平洋プレートが入り込み、そこに東南海断層が……」
有司「いや、お義父さん、そんな難しい話じゃありません」
義父「いや、日本語のうどんの後、いきなり英語のダイニング。日本語と英語で一つの単語ができてるんだ。つまりうどんダイニングってことは、ケンタッキーフライドあきたこまちみたいな訳のわからないもんなんだよ」
有司「いえ、お義父さん、ダイニングは食事って意味ですから、うどんダイニングって、うどんの食事って意味なんです」
義父「いやいや、有司くん！　理屈はそうだけど、世の中は甘くない。そんな言葉には騙されない。うどんダイニングは危険だ。店に入るといきなり拉致され、眠らされ、気がついたら飛行機の中。ドアが開くと砂漠の上空！　へへへへっ、うちはうどんダイニングじゃねえ。うどんダイイング・メッセージだ。さあ、うどんを一本やるから、ダイイング・メッセージを残して死んじまえ！　さあ、地獄へ落ちろ！　ほれ、ヒュ〜〜ッ、なんて落とされると危ない！」
有司「いえ、危なくありません。ホラ、お義父さん、表にメニューが出てて、ここにうどんダイニングのコンセプトって出てます！　このコンセプトを読めば納得しますよ」
義父「有司くん、うどん屋にコンセプトはいらない。ダシと薬味があればいい！」

有司「いや、だけどお義父さん、メニュー見ると結構おいしそうでしょ？　ねっ？」
義父「そうか？　……何？　このペペロンチーノうどんって？　この、ねばねばオクラヘルシーうどん、トウガラシひりひりスタミナうどん……、私はこんなうどん聞きたくない！　この店はイヤだ！　イヤだっ！　絶対いやだ〜〜〜っ！」
有司「わかりました、わかりました。……もう、子供に還っちゃうんだから。うちのアーヤが我儘で強情だと思ったら、みんなお義父さんの遺伝だな」
義父「何を言ってるんだ、有司くん。アーヤが強情なのは私のせいではない。家内が強情だからその遺伝なんだ。私は強情じゃない、素直なんだ〜〜〜っ！」
有司「わかりました、わかりました！　ホント強情……、いえいえ、なんでもないです。とにかくうどんダイニングはやめましょう！　他の店に」
義父「いや、悪いねえ。私もなんとか有司くんに合わせようとは思っているんだけど、どうも人間歳をとると、入ったことのない新しいタイプの店に抵抗が出て来るんだ。いやあ、ごめん、ごめん！」
有司「いいですよ。ええと……お義父さん、どうです。このパスタ屋！　パスタなら気楽でしょう？」
義父「いや、とんでもない。パスタこそ我ら中高年の敵。私はパスタが憎い！」
有司「パスタが、憎い？」

義父「そうだよ。いいかね？　私たちの青春時代は貧しくて、スパゲッティといえばナポリタンとミートソースしかなかったんだ。それがある日を境に、スパゲッティがパスタと看板が代わり、料理もバジリコだのボンゴレだの、魔法使いの呪文のように意味不明の言葉に変わってしまった。私たちはパスタ難民になってしまった。パスタという看板を見ると思わず看板から身を隠す」
有司「ああ、そうですか。じゃ、パスタもやめましょう」
義父「いやあ、ホント、有司くん、悪いねえ」
有司「じゃ、こっちのカレーはどうでしょう？」
義父「カレーはいい！　……ん？　看板が出てる。カリー!!　カリーは不愉快だ！　何がカリーだ。日本では、正しくカレーと書くべきだ！」
有司「はい、ええ、やめましょう。……あっ、お義父さん、こっちのカレー屋はどうです？　こっちはチャンと片仮名でカレーと書いてあります」
義父「おっ、いいなあ。このカレー屋はいい」
有司「それにこのカレー屋はいろんなトッピングが楽しめるから、お好みのカレーにして食べられますよ」
義父「何？　トッピング！　ドキッ！　君、今、なんと言ったね？」
有司「ですからトッピングと」

義父「ト、ト、ト、ト、トッピング？　ト、ト、ト、ト、トッピングだと？　その言葉を聞くまでは、せっかく有司くんの勧めだからこのカレー屋に入ろうと思っていたけど、トッピングと聞いたからには絶対この店には入らん！」

有司「えっ、入らない？　なぜですか？」

義父「実は有司くん、私は、医者からトッピングを止められている」

有司「えっ、お義父さんは医者からトッピングを止められている？」

義父「そうなんだ。この頃、元々英語が苦手なところに突然トッピングと言われると前頭葉が混乱してトッピング熱が出るんだ。だから私は、トッピングが怖い」

有司「へえ、トッピングが怖い？」

義父「もう怖いのなんの！　私の友達なんか自宅をトッピングされて十万円盗られた奴もいた」

有司「お義父さん、それってトッピングじゃなくピッキングでしょ？」

義父「そう、それを間違えるぐらい危険なんだ」

有司「いいえ、お義父さん、トッピングって単に注文した料理の上に頼んだものを乗せるだけですから……」

義父「とにかくトッピングは危険だ。店に入るとこのマスターから、トッピングになるのはお前だ。ド～ン！　とカレーの大鍋でチキン・カレーと一緒に煮られると私もチキンとしていられない」

有司「何くだらないダジャレ言ってるんですか。そんなことはありません」
義父「とにかく私はトッピングはいやだ〜〜〜っ！　いやいやいや〜っ」
有司「わ、わかりました。ホントに強情なんだから……、じゃ、お義父さんの方がお店を決めて下さい。そうしたらその店に入りましょう！」
義父「そう、じゃ私が決めてもいい？　そう、悪いね……、ええと、ビストロ中島って、ここは以前入ったことがある。ラーメン屋なんだ。どうこの店は？」
有司「お義父さん、すいません。このビストロ中島だけはいけません」
義父「えっ、なんだい？　なんで反対するの？」
有司「ハイ、他にはどんな店でもいいんですが、ダイニングでも大人の隠れ家でもいいんですが、ビストロ中島だけはいけません。ビストロというのはフランス語で『小さな料理店』って意味ですよ。ところがこの中島は大きめのラーメン屋なんです。それが何で、フランス語でビストロなんだ。絶対、ビストロだけは許さない。絶対、いやだ〜〜〜〜っ！」
義父「わかった、わかった。やめよう。いや、有司くんも意外に強情なんだ。うちのアーヤが強情で、強情同士で一緒になったんだね。じゃ、有司くん、あそこにそば屋がある！　昔ながらそば屋、これならいいよね」
有司「昔ながらのそば屋？　お義父さん、こ、このそば屋は、危険です」
義父「何が危険なんだい？」

有司「この暖簾、なんて書いてあるんです？」
義父「これは、生（なま）そばと書いて『きそば』。しかもこの店の暖簾の『そば』の字は昔の変体仮名で全然読めない。でも、こういう昔ながらのそば屋を見るとホッとするねえ」
有司「どうホッとするんですか。誰も読めない解読不能の看板って。それじゃナスカの地上絵と同じじゃないですか？」
義父「いや、そんなことはないよ。だけど有司くんだって子供の頃、家族に連れられてそば屋で食べたカツ丼！　醤油が滲みてておいしいと思ったろ？」
有司「昔のそば屋のカツ丼って、あの昔の醤油ジャブジャブカツ丼。しかも世界一悪い油で揚げたメタボカツ丼。もう、一口食べたら脳梗塞、二口食べたら即死する！」
義父「即死する訳ないじゃないか。でもさ、この古びた店の造りもいいだろ？」
有司「とんでもないです。ただほこりっぽいだけです。もう中に何が住んでるかわかりませんよ。幽霊そば屋敷みたいなもんで。この店ヤバ〜ッ」
義父「何がヤバイんだよ。まあいいから、私の顔を立てて入ろう」
有司「あ、こわ、あ、こわ！　怖いなあ、ガラガラ〜ッ」
店主「（陰気な声で）いらっ〜〜しゃ〜〜い！」
有司「ああ、お義父さん、出ました。子泣きジジイ」
義父「こちらのご主人だ。失礼だろ？　で、有司くん、何を頼もうか？　お品書きにいろいろ書いてあるが……、あっ、釜めしもやってるよ」
有司「釜めし！　……めし！　お義父さん、お品書きに書いてる釜めしの『めし』を隠して下さい。私は、軽いめしアレルギーなんです」
義父「なんだいそれ？」
有司「実は『めし』って聞くと寒気がして、蕁麻疹ができるんです。小学二年の夏休み、今日の夜はきもだめしだって言うから、私はまた『きもだ』という『めし』だと思ったんです。きもだめし！　ところがいくら待ってもそのめしが出てこない。それ以来、めしのつく言葉を聞くと寒気がして蕁麻疹が……」
義父「えっ、そりゃ大変だ。じゃあ、何を頼もうか？　昔ながらのそば屋さんときたら、この鴨なんばんそばだね。これどう？」
有司「う〜〜っ、鴨なんばんそば？　実は私、鴨なんばんそば熱がでる」
義父「鴨なんばんそば熱？」
有司「そうなんです。小さい頃、おじいちゃんに連れられて行った近くのそば屋。おじいちゃんが鴨なんばんそばおいしいよ、と言うから頼んだ。それで、あ〜、そばが来たら、鴨もそばもあるんですが、なんばんがない。なんばんはどこだろうと探しているうちに、熱が出るようになったんです。鴨なんばんそば熱」
義父「でもねえ、そろそろ君もそういうのを克服するようにしなくちゃダメだよ！」

有司「お義父さん、それじゃあ、鴨なんばんそばを」
義父「すいません、鴨なんばんそば二つ」
店主「へい、鴨なんばん二丁〜〜っ！　……へいお待ち！」
義父「早いね。有司くん、もうきたよ。大丈夫かね？」
有司「ハイ……、どうも……、少し寒気がして、なんばん咳が出そうです」
義父「なんばん咳？」
有司「うっ……、ナンバン、ナンバン、ナンバン、ナンバン（短く咳の感じで）」
義父「なんかわざとやってない？」
有司「やってません！　ごく自然です。あっ、鴨なんばんくしゃみが出そうです」
義父「鴨なんばんくしゃみ？」
有司「カッ、カッ、カッ、カッ、カッ……、治まった！」
義父「治まったのかい？」
有司「あっ、また出そうです。……カッ、カッ、カッ、カッモナンバン！　カモナンバンナンバン、カモナンバン……、そばそばそそばそば……、かもかもかももなんばんなばん……、カモナンバンカモナンバン！」
義父「大変だねえ。それで結局どうなるの？」
有司「ええ、最後はそば屋さんのいい鴨になります」

夢地獄

ゆめじごく●一九八二年初演

Dream Hell

作った当初はわりとよくやった。そこそこウケた噺。
初演の渋谷ジァン・ジァンの時は、
ザリガニに札を挟ませ登場させた。
ザリガニが前に進むかと予想していたが、
逆に後ずさりしてしまった。
この時、椎名誠氏が取材に来ていて、
このネタを喜んでくれた。
この夢地獄というタイトルがとても気に入っていたが、
その後しばらくしてタイトルに「夢なんとか」
というものが増えてがっかりした。

さあ、みんな！　最近体の調子の方はどうかな？　働き過ぎて疲れていないかな？　何？　少しオーバーワーク気味で夜もなかなか寝付けないし、眠っても悪夢にうなされて眼が醒める？　そう、そうなんだよ。それは、みんな、この俺様、夢地獄のせいなんだ！　俺は疲れ切っている奴の夢の中へ入り込んで、うんと苦しめるのさ。今夜はくたびれ切った交通公社の社員に狙いをつけた。どれ、この男の夢の中へ入るとするか。

男「フニャラ、フニャラ……、あれ、テレビから裸の女が出て来て、俺の首っ玉へ。わぁー、かじりついて来たぞ。いいなぁ、なんか、夢みたいだなぁ。フヒフヘハハハッ！　そう、これは夢だ。フフフフッ。」

夢地獄「フフフフッ！」

男「なんだ、なんだ、お前は？」

夢地獄「フヒッフフィファ！　俺様は夢地獄よ。お前はたった今から、夢地獄に落ちたのよ。フヒフヒファファ！」

男「おい、どこにいる？　姿を見せろ！　出て来ーい！　……、なんだ、誰もいないや」

するど、薄暗いぼんやりとした暗がりの中から、本に手足が生えたような虫がブツブツ言いながら、こっちへやって来た。

？「ジコクジコクジコク、俺はジコク、ジコク、お前は会社にチコク、チコク」
男「あれっ、変な奴が出て来たぞ。お前はなんだ？」
？「俺はアンタに捨てられた、汚れちまった時刻表よ！」
男「アー、なんだ。俺がこないだまで使っていた時刻表かよ」
時刻表「そうよ。さんざん使うだけ使ってポイか。お返しに、この『特急・お仕事』の切符を持て！」
男「これを？『特急・お仕事』？　イヤな名前だなぁ」
時刻表「さぁ、この『特急・お仕事』に乗れ！」
男「あれ、なんだ、これは俺の家の台所！　食事の支度ができてて、ワァーッ、うまそうだなぁ。あれ、俺が靴を履いて、玄関から出てっちゃった。おい、なぜ俺に朝飯を食わせない」
時刻表「ふふっ、『特急・お仕事』は、台所には停車しない。通過だ」
男「おい、それはないよ。あれ、これはいつもの駅だ。相変わらず凄いラッシュだな。わぁー！　苦しい！　おい、ラッシュは通過しないのか？」
時刻表「『特急・お仕事』は、朝のラッシュは停車する！」
男「停車するのか。わっ、苦しい！　あー、やれやれ、やっと会社か。また仕事か。おい、この仕事には三十秒停車くらいか？」
時刻表「いや、八時間停車だ。それでは、この後の『特急・お仕事』のダイヤを発表しよう。この後、昼の食事を通過！　午後の仕事に七時間停車！　夜の一杯を通過！　月給通過！　ボーナスも通過！　これを死ぬまで続けるんだ！」

男「冗談じゃないよ。そうか、こんな切符を持ってるからいけないんだ。こんなもん、足でこうして、踏んづけてやる！　グジグジグジ！　あれ、時刻表の奴は消えたぞ！」

するとまた、白いものがこっちへ……、

？「デゴデゴデゴデゴデゴ」
男「また変なのが出てきたぞ。何だ、貴様は！」
？「デゴデゴデゴ、デゴイチ！」
男「なんだ、Ｄ51か。それにしちゃ、小さいな」
？「そうさ。要らなくなったＤ51は、こうしてバラバラにされたんだ」
男「ＳＬは黒いのに、お前は白いな」
？「そう、俺はＤ51についていた便器だ！」
男「なんだ、便器か、お前は」
便器「そうだ。毎日、俺に跨るだけ跨りやがって、おい！」

すると、便器から手が伸びて、男の足をつかんだ。

男「おい、何をする、放せ！」

便器「お前は踏ん張り地獄へ落ちる！　さあ、俺に跨れ！　踏ん張れ！　しゃがめ！　さあ、いきばれ！」

男「冗談じゃない！　放せ！　うーん……、エイッ！　あっ、取れた、逃げろー」

走って逃げて行くと、なぜかそこには映画館があった。

男「そうだ、あの中へ逃げ込もう。ここで切符を買って、さあ、中へ入ろう。ドアを開けまして……、あれ？　ここは映画館じゃないぞ。何か書いてある。ふんふん、夢地獄第二取調室？なんだ、どうして、映画館のドアを開けると、中が取調室になってるんだ」

夢地獄「フフフフッ。夢だ、夢。ここは夢だ。よく来たな、この取調室へ。お前が交通公社の社員だということはわかっている。さあ、入ってもらおうか。それでは取り調べを行なう。20系一般客車の特徴とは何か」

男「知らん」

夢地獄「特急明星5号と明星ラーメンと週刊明星と平凡の関係は？」

男「知らないよ、そんなもん」
夢地獄「フン、シラを切るつもりだな。痛い目にあいたいとみえる。このギザギザマークを見ろ！」
男「あ、そのギザギザは、ケーブルカーの印だ」
夢地獄「そうだ。白状しないと、このケーブルカーのギザギザがお前の頭に食い込むんだ。どうだ！」
男「ワァーッ！　なんだかわかんないけど、イテテテ、イテテテ、イテイテ！　喋ります喋ります」
夢地獄「よーし、いい子だ。では聞く。ＢＴとはなんだ？」
男「ＢＴ？　あ、ビュッフェ・トーキョーの略です」
夢地獄「よし。では、日食と帝食とはなんだね」
男「日食が日本食堂で、もう一つが焼肉定食です」
夢地獄「何、焼肉定食だと？　ギザギザ地獄だ！」
男「うあ〜、違いました。帝食とは、帝国食堂の略です」
夢地獄「よし。では次。峠の釜めしの駅名は？」
男「えーと、横川です」
夢地獄「フフッ、こんなのは誰でもわかる。では、インペリアル洋風弁当は？」
男「インペリアル洋風弁当？　え、何？」
夢地獄「わからなければ、ギザギザ地獄！」

男「思い出します。えー、インペリアル、インペリアル……、あ、東京駅です」
夢地獄「そうだ。では、値段と中身は？」
男「値段は八百円、中身は洋風！」
夢地獄「洋風に決まってるだろう。では、スタミナ・ランチはどこだ」
男「スタミナ？　……あ、千葉館山！」
夢地獄「では、ゴルフ弁当は？　フフッ、カタカナに弱いらしいな。」
男「ゴルフ弁当、……、えーと、軽井沢」
夢地獄「ムム、当てずっぽうに言ったな！　じゃあ、どんどんまんじゅうは？」
男「どんどんまんじゅう？　福山で！」
夢地獄「アルプス一万尺弁当は？」
男「一万尺弁当は、高山！」
夢地獄「よかっぺ寿司は？」
男「水戸！　五百円！」
夢地獄「けんじ弁当は？」
男「花巻！」
夢地獄「おこわ無法松弁当は？」
男「門司、小倉！」

夢地獄「ムーン、ちょこざいな奴め！　デカンショ寿司は？　川中合戦笹ずしは？　流氷アメは？　仙北おばこめしは？　どうだ、どうだ！」

男「今夜はどうやらローカル線で攻めて来たな。うーん、デカンショ寿司は篠山口、合戦笹ずしは長野、流氷アメは網走、仙北おばこめしは大曲！」

夢地獄「ムム、この、この！　では、行くぞ、お弁当玄海は？　成金まんじゅうは？　天録ちらしずしは？　ヤング・カツ弁当は？　ついでに聞く。キヨスクに入れてる文明堂の電話番号は何番だ？　どうだ！」

男「う、う〜、苦しい！　文明堂の電話は、えーと、えーと、あ、一番だ！」

夢地獄「何、一番だと、歌ってみろ！」

男「えーと、電話は一番、カステラ二番」

夢地獄「逆だ！　カステラ一番、電話は二番だ！　ギザギザ地獄に落ちろー！」

男「ワァーッ、ギザギザ、イテテテッ、ウワァー、……あ、夢か」

夢地獄「フフッ、そう夢よ。まだ夢だ。さ、行くぞ。夢地獄パートⅡ！」

男「え、まだあんの！　ウワァーッ、ダジゲデグデエーッ！」

マタギの里

またぎのさと●二〇〇三年初演・二〇〇六年改

二〇〇〇年にショートショートとして
物々交換の噺を作り、
その後、主人公をマタギにして改作。
その後更に、弟子の天どんに
噺家を登場するストーリーにアレンジさせる。
ギャグは入ったもののうまくいかず、
最終的に円丈自身が更にリメイクする。

Matagi Village

歌の世界というのも、時代と共に変わるもんですね。昔の歌って変な歌詞がありましたね。大昔、フランク永井という歌手が歌っていた、

〽ABC・XYZ　これが俺らの口癖さ

そんな奴いねえよ。ABC・XYZ、これが口癖！　いないっつうんです。中学校の数学の先生だって、そんな口癖の奴はいません。

それから昭和三十年代に大ヒットした歌謡曲で「若いお巡りさん」という曲があるんですが、

〽もしもし　ベンチでささやく　お二人さん　早くお帰り　夜が更ける

ってつまり、若いカップルに夕方だから帰りなさいって注意している。今そんなことしたら、大きなお世話でしょって言われます。しかも、この三番の歌詞がスゴイですよ。

〽もしもし　景気はどうだい　納豆屋さん

って、納豆屋が出てくるんですよ。今で言えば、J-POPのオリコン・チャートのトップを

ひた走る曲の歌詞に納豆屋が出てくるんですから、スゴイですね。しかも、景気はどうだい？　って売り上げのことまで心配してるんですからね。

しかし、あの松田聖子の「青い珊瑚礁」って曲も変な歌詞です。

〽あ〜、私の恋は、南の風に乗って走るわ〜っ
どういう恋なんだ？　恋が、南の風に乗って走るんですよ。お前はフィリピンのブーメランか！　訳がわかりません。

今日の『マタギの里』という落語は、なんと豪華な合唱付きのサゲです。将来的には、クラシックの合唱付き第九か、円丈の合唱付き『マタギの里』かと並び称される予定です、あくまでも……。では誰が合唱するのか？　もちろん、私とお客さんで合唱するんです。ですから、もしお客さんが誰も歌わないと、合唱付きにならなくなっちゃう。せめて二人ぐらいは歌って下さい。

さあ、では、サゲを先に言います。サゲは、

「いえ、マタギキ〜〜っ！」

これを『サザエさん』の曲のラストで「今日もいい天気〜〜〜っ」のメロディに乗せて、「いえ、マタギキ〜〜〜っ」と合唱します。では一度、リハーサルをしてみましょう。手を振った

ら大きな声で元気良く「いえ、マタギキ〜〜〜っ」です。行きますよ、はい！

「いえ、マタギキ〜〜っ」

念のためにもう一度では大きな声で、

「いえ、マタギキ〜〜〜っ」です。もう大丈夫ですね。


今の日本は、どんな山奥の村へ行っても、電気が来ないというところはありません。ところが三十年ほど前、昭和五十年代前半ぐらいまでは、まだ電気のない村なんてところがあったんです。今日のお噺は、そんな昭和五十年代前半、東北のとある山深い村のそのまた村外れ、家数が三、四十軒ほどの小さな集落が舞台です。

落語にはよく、八っつぁん、熊さん、なんて出てきますが、今日の舞台は東北の山村ですから、八っつぁん、熊さんは出てこない。代わりに、マタギの六どんに万屋《よろずや》の女将、そしてそこに迷いこんだ噺家が登場して大騒ぎになるという、バカバカしいお噺です。

ある日のこと、山奥からマタギの六どんが犬のシロと一緒に、獲物をどっさり持って降りてきた。そしてこの獲物と生活に必要なものを物々交換するために、万屋に入って来た。

六どん「おう、女将いるかあ？」

女将「あら、六どんよく来たね。シロも一緒かい」

六どん「おう、元気だったか女将。それで早速だがな、いつものように、オラの獲物と交換してほしいものがあるだ」
女将「で、何がほしいだ?」
六どん「あの……、あれだ! サカナジューマンがほしいだよ」
女将「サカナジューマン?」
六どん「あっ、違う違う、ウオジューマン! ……そんなに高くねえな、そうウオハチマン……、それよりたけえな、そうそう……、ウォークマンがほしい!」
女将「ウォークマンまで随分かかったでねえの?」
六どん「とにかくほしいだ。ウォークマンとウサギの尻尾三つで交換すべえ」
女将「何言ってんだ。ウォークマンとウサギの尻尾三個って、ムチャクチャだよ。ちょいと今、村公認の交換レート帳を見るから、パラパラ……、えーと、あっ、ウォークマンだと、熊十三頭と交換だよ」
六どん「げっ、ウォークマン一個で、熊十三頭もする! それじゃたけえべ。ボリ過ぎだ」
女将「それがな、六どんは半年振りの里だべ。この頃は石油も上がるし、もう物々交換相場が乱高下で、今は大変なウォークマン高だ」
六どん「あれ、ウォークマン高か?」
女将「そう、ウォークマン高の、キツネ安の、熊安の、カモシカ安の、タヌキ安だど」

六どん「オラの獲物、全部安い。なんか騙されてるみてえだな。なあ、女将、長い付き合いだ。カモシカ二頭とウォークマンで、なんとかならねえか？」

女将「仕方ないねえ。わかった。長え付き合いだべ。じゃ、カモシカ二頭とタヌキ一匹でどう？」

六どん「タヌキ一匹はたけえべ。じゃ、モグラ三匹でどうだ」

って訳のわからない交渉をしているとこに、全身ずぶ濡れ、黄色い紋付を着た噺家が、

噺家「ガラガラッ、ドタッ、た、助けて下さい」

女将「なんだい、こいつ、他所者だべ。店に入っちゃダメ。シッ、シッ、出てけ」

噺家「いえ、決して怪しい者ではありません」

女将「いや、怪しいべ。こんな辺鄙な山奥にずぶ濡れの黄色い紋付で来るって、絶対怪しい。なあ、六どん？」

六どん「そうだ、こいつはタヌキが化けてるにちげえねえ。おめえだろ、他人の家を権兵衛さん、ゴンベさんって叩くのは！　待ってろ、この剃刀で頭を丸坊主にしてやるから。シャッシャッ（剃刀を研ぐ仕草）」

噺家「それって『権兵衛狸』って噺じゃないですか？　いえ、タヌキじゃない。人間です。お願い、助けて下さい。もう疲れてお腹が空いて死にそうなんです」

女将「死ぬんなら表で死んで！　墓穴も自分で掘って、棺桶にも自分で入って、自分で埋めて、自分で葬儀委員長もやって……」
噺家「どうやったら自分で葬儀委員長ができるんですか！　じゃ、せめて電話だけでも貸して下さい」
女将「フン、この村にはそもそも電気が来てねえの。電気がねえのに電話がある訳ねえべ！」
噺家「電話がないって、じゃ、なんかあった時はどうするんで？」
女将「その時は狼煙を焚くのさ」
噺家「そんな、うそ⁉　……と、とにかく、私は噺家なんです！　噺家」
女将「噺家？」
噺家「知らないんですか、噺家？」
女将「田舎もんだと思ってバカにすんでねえ。噺家ぐらい知ってんべえ。便秘薬だんべ？」
噺家「なんで噺家が便秘薬なんです。いえ、噺家という仕事、職業なんです」
女将「じゃ、おめえ噺家って商売をしてるか。なしてこんな田舎に来ただ？」
噺家「実はこの地方の村でお祭りの仕事を頼まれて、はるばる東京から汽車を三回乗り継いでバスに乗ったんですが、降りるバス停を間違えて道に迷った挙げ句、川には落ちるし、財布は無くすし、もう、へとへとで、お腹が空いて……あっ、それはコッペパン。お金はありませんが、そのパンを一つ下さい」

女将「だみだ。一文無しにはパンやらねえ。なめちゃ駄目だべ。私があの有名なデロレンパンのおどんだよ」
噺家「誰ですか？　デロレンパンのおどんって、知りません。じゃ、金がない時どうしたらパンが手に入るんで？」
女将「教えてやるべ。うちはマタギたちとの物々交換所も兼ねてんだ。なんか交換するモノがあればコッペパンと換えてやるべ」
噺家「交換するもの？　えーと、なんか……、あっ、ありました。一流有名人の手拭い！　あの三遊亭の元締め総帥、昭和の名人、六代目円生の名入り手拭い」
女将「誰なの、その円生って？　ロシアのスパイ？」
噺家「ロシアのスパイじゃない、円生です。とにかく円生の手拭いです」
女将「そうけ、一応交換表を見てやろう……、え〜と……、円生の手拭い……、あ、ある。えーと、円生の手拭いは、つまようじ三本と交換」
噺家「なんで円生の手拭いがつまようじ三本なんですか？　ああ、腹減ったな。じゃ、こうしましょう。私が落語を一席やりますので、それでコッペパン下さい」
女将「落語？　落語……、ああ、稲刈りのことだべ？」
噺家「いいえ、稲刈りじゃない。お噺なんです。とにかくおもしろくて大笑いするお噺です！」

女将「笑う？　とんでもねえ。そうか、やっぱ、おめえは扇子振りだったな」
噺家「なんです、その扇子振りって？」
女将「だから扇子を持ってツルツルってありもしねえそばをさも食ってるように見せかけたり、ありもしねえまんじゅうを本当に食ってるように客をだまくらかす扇子振りだろ。このペテン師！」
噺家「いえ、ペテン師って、あれは芸なんですよ」
女将「うるせえ。おめえたちの噺は訳がわからねえ。手拭いなんか出して、ホラ、この五十両をやるって、五十両じゃねえ。手拭だべ。このうそつき野郎」
噺家「いえ、うそつき野郎って、それが落語ですから」
女将「うるせえ。なあ六どん！」
六どん「そうだそうだ。それに第一、うちの村のもんはふざけ噺が大嫌いなんだ。この村は、真面目なものか泣かせるもんがええ。もうぼやぼやしてると田んぼの生案山子にするぞ」
噺家「なんです。生案山子って？」
六どん「十字架にな、手足を縛って田んぼに立てとく」
噺家「それじゃ、イエス・キリストですよ。あ〜あ、参ったな、どうしよう」
と困り果てているところに、またまたもう一人、びしょ濡れの男が入ってきた。

旭「ガラガラッ！　旭だぜ！（以後、小林旭風なセリフ語りで）赤い夕陽が燃え落ちて、ダイナマイトが百五十屯《トン》だぜ。北朝鮮なんてぶっとばせ！　旭だぜ。燃える男の赤いトラクターよ！　似てなくても旭だぜ。中尾アキラって言うと殴るぜ」
女将「ホント素敵なアンちゃんだね。で、あんた誰？」
旭「旭だぜ！　京都にいる時は忍さ、神戸じゃ渚よ、さてハマの酒場ではなんと呼ばれたでしょうか？」
女将「いきなりクイズ？　こりゃ、難しいクイズだべ。わかった、ひろみだべ。じゃ、あんた、昔、日活映画の大スターだった？」
旭「そうさ。おれの名前は、上にドレミのドと書いて下が林でド林旭よ！」
女将「うわ〜〜あ、小林旭！」
噺家「違うでしょ？　ド林旭です。こいつ小林旭のそっくりさん、ニセ者です」
女将「うるさいよ。でもどうしたの？　びしょ濡れで」
旭「この近くの村のお祭りで歌謡ショーをズンズンズンズンズンドコ頼まれて、バス降りてギターを抱えてズンズンズンドコさすらっていたら、川にズンズンズンズンドコ落っこちて、財布なくしてびしょ濡れになってダンチョネ」
女将「なんだかわかんねえけど、大変な目にあったんだね」

旭「そこの可愛いママ、タオル借してもらえるかな」
女将「えっ、可愛いママ？　やっぱ見る目があるね。この人は、じゃ、ハイ、タオル。お腹空いてるんだろ？　このコッぺパンあげるべ、アンパンもお食べ！」
噺家「なんです？　私の時と態度が全然違うじゃないですか？」
女将「当たり前だべ。元々この村は他所からのお客さんには親切なんだ」
噺家「じゃ私にはどうしてそんなに冷たいんで？」
女将「フン、おめえは来た時から扇子振りだとわかったんだ。そんな黄色いものを着るのは、東京の扇子振りか、モンゴルの卵売りだべ」
噺家「なんです。モンゴルの卵売りって？」
旭「旭だぜ。素敵なママとそこのマタギの兄貴のために一曲歌うぜ」
六どん「えっ、マタギの兄貴！　オラ、兄貴なんだよ」
旭「旭、命の限りの歌うぜ！
〽夜がまた来る〜う、思い出連れて〜え、俺を泣かせに足音もなく〜〜っ」
女将「そうだよ。夜って、思い出連れて来るんだよね。オラも夜になると別れた男のことを思い出すだよ。ええ歌だな。もうコッぺパン好きなだけやろ！」
六どん「ホント歌はええなあ。そう夜は足音もなく来るだよ。ええな。ホラ、熊の手二つやろう！」
噺家「夜に足音がある訳ないでしょう」

女将「やかましいだ、この権兵衛狸！」
噺家「権兵衛狸？　じゃ、じゃ私も唄います！　唄わして下さい」
女将「何歌う？　でもふざけた歌はダメだぞ！」
噺家「ふざけてません！　江戸の唄です。はあ、チチ〜ンチチンチ〜〜ン！」
女将「なんてエッチな歌を唄うんだい。えっ、チンチンしか出てこないじゃないか？」
噺家「いえ、これは三味線の音ですよ。江戸の音曲です。チチ〜ンチチンチ〜〜ン、惚れて通えば〜〜あ、ハ〜ア」
女将「なんだべ。チンチンのあとにいやらしい声でハアって、やめれ！　このスケベ狸！　ねえ！　旭！　もっと歌ってけろ」
旭「旭、今度は『恋の山手線』を歌うぜ！
〽上野のオフィスのかわいい娘、声は鶯谷渡り、日暮里笑ったあのえくぼ、田端ないなあ、好きだなあ、駒込したことアぬきにして、グッと巣鴨がイカすな。あ〜あ〜恋の山手線〜ッ！」
女将「これはオラの青春そのものだべ。ああ、おら昔、いつもこの歌うたってただよ。旭、アンタ、店のものなんでもあげるべ。この指輪もあげる」
六どん「おお、ええなあ。昔、東京に一年いた時、田端のアパートに住んでいただよ。もうなつかしくて涙出るね。さあ荷物になるが熊一頭やろう！」
噺家「なんだ？　指輪や熊までもらってるよ。いいですか？　この『恋の山手線』は、先代柳亭痴楽師匠が、落語でやっていた『恋の山手線』のパクリですよ」
六どん「うるせえだ、このエロ扇子！」
噺家「エロ扇子？　じゃ、私にもなんかやらせて下さい」
六どん「でもいいか？　なんか泣くようなもんやれ、泣くものを」
噺家「えっ、泣く！　ハイ、泣きます。タコが泣くんです」
六どん「タコが泣く？　……でえじょうぶか」
噺家「それではタコが茹で上がってあまりの熱さに泣くという、三遊亭に伝わる泣きダコの芸をご覧いただきます。この二本の手ぬぐいをタコの足に見立てて、手で動かしながら、（タコの茹で上がりをを表現して……最後にタコが泣く）……ヒ～～ィ！　へい、ご退屈様で。お後はよろしいようで」
女将「コラッ、何くだらねえ……パタッ！……あっ、し、しびれる～」
六どん「あっ、女将が、倒れちまったぞ！　でえじょうぶか？」
女将「くだらないのにあたって、しびれて動けねえよお。ヒクヒク～っ」
すると犬のシロもあまりくだらなさドテン、キャヒ～ィキャヒ～ィ！　更にこのまわりの森で群れていた赤ゲラも思わず団体でドサッと落ちてきてゲラゲラゲラゲラー ッ！　ケラッ。

六どん「なんだ！　女将も犬も鳥も、あまりのくだらなさにしびれて動けなくなったぞ。えっ、しびれて動けない。待てよ……、そうか、思い出した。オラ聞いたことあるだ。宝暦年間の昔、銃も弓も使わずしゃべりだけで鳥や獣をしびれさせ狩りをした伝説の狩人、しびれマタギの伝蔵がいたと言う。そうだ。あんたは、しびれマタギ伝蔵の生まれ変わりだろ？」

噺家「ああ、そういやあよく、今日の芸にしびれましたって言われるから、しびれマタギの生まれ変わりかも知れないなあ」

六どん「やっぱり！　そうだ、先生、オラを弟子にしてけろ！」

噺家「ああ、じゃ、とりあえずコッペパン五個で弟子にするよ」

六どん「じゃ、お願えしますだ～っ！」

となんとこの一文無しの噺家が、一日にして日本一のマタギになったというお噺。これが本編部分です。

さあ、大変お待たせしました。いよいよ合唱付きサゲです。サザエさんの「今日もいい天気～～っ」のメロディで「いえ、マタギキ～～～っ」です。さあ、それではサゲです！

という噺をして高座を下りたら、楽屋に一人のお客さんが訪ねて来て聞いた。

客「師匠、今日の話はマタギから聞いたんですか?」(手をふる)
円丈「いえ、マタギキ〜〜〜〜〜〜〜〜っ!」(客と合唱)

ご協力ありがとうございました〜〜〜。

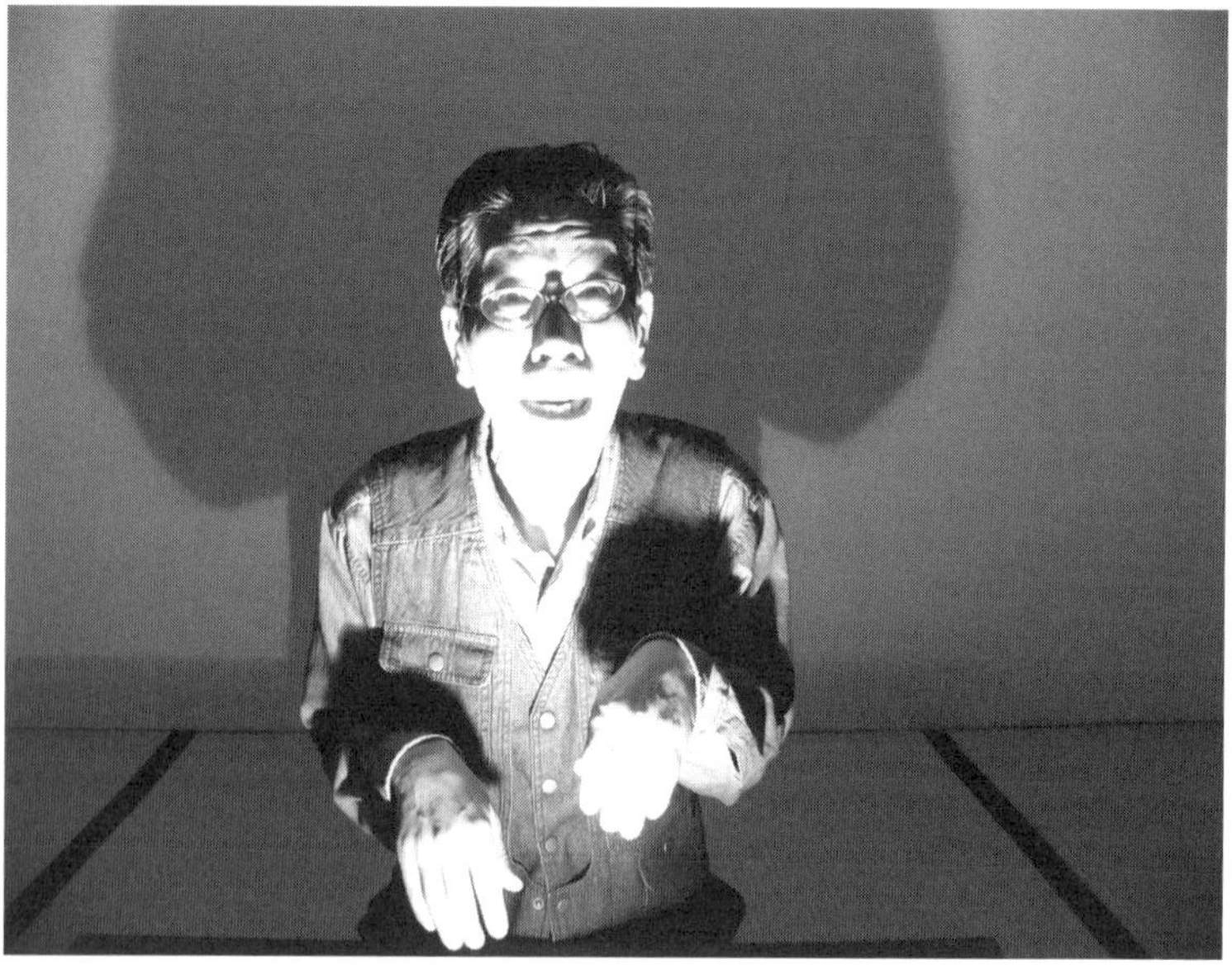

怪談の会の楽屋での一コマ

現代怪談『ハンザキ』

げんだいかいだんはんざき●二〇一二年初演

円丈十番勝負で現代怪談をやろうと思い、
角川文庫の「新耳袋」シリーズからと思ったが、
著作権とかなにやかにやで面倒なので、
自作で噺を作ろうと思った。
全然できなかったが、なんとかやっと一本できた。
ただ、まだ中途半端な感じがするが……。

Hanzaki

本日は怪談噺ですが、怪談というのは、そもそも死んだ人にある思いが残って出てくるのが怪談です。ですからよく噺家なんか生きている時、稽古の鬼とか言われる師匠がいますが、ところが死んだ後でも落語をやりたくなって、出て来る噺家の幽霊がいそうですがゼロです。芸人の中で、

「落語がやりたい。聞いて下さい。では小噺その一」

なんて幽霊がいそうですが、今まで千人近く噺家が死んでいますが、一人もいない。ゼロです。

例えば私の師・円生。稽古の鬼だったんです。その円生が、どっかの寄席で夜中、

「毎度、この色気なんてえことも申しますが……てっへっへ」

なんて、話は聞かないです。

あるいは先代の文楽師匠。高座で絶句して、

「申し訳ありません。もう一度勉強し直してまいります」

と言って亡くなったんですが、その文楽師匠の幽霊が出てきて、

「エー、本日は勉強し直して参りましたので、芸の成果をお聞かせいたします」

とかあってていいのですが、ありません。落語をやりに出て来る噺家の幽霊は一人もいない。だから結局、芸じゃない、金なんです。ですから、

「ギャラくれ〜」

とか、

「もっとくれ～」

とか言う幽霊ならいそうです。


本日は、本格現代怪談『ハンザキ』というお噺でして。それは鬱蒼とした木立の中、武蔵野の一万坪とも言われる大豪邸で起こった怖いお噺でございます。

ここは、日本の大財閥、曾根グループ六代目当主・曾根吉紀氏のお屋敷。曾根御殿と言われておりますが、この六代目当主吉紀氏は、なんと四十九歳という若さで入浴中に急死。その死因については事件性なしという発表以外、一切病名などは公表されません。世間では、自殺、病死、事故死といろいろ死因についてはの噂が流れました。

さて、いきなり六代目当主の急死。当然、七代目はどうするのか？　やはりどこの世界でも後継ぎは難しい問題です。特に七代目をどうするかは難しい。円窓はどうした、鳳楽はどうした？今の円楽さんもやっぱり悪人なのかとか、とにかくその跡目争いはなかなか大変です。曾根家では、当主が亡くなって曾根家親族五人組が結成されて、そこで七代目を決めることになりました。まあ、ここから御家騒動が始まる訳で。

七代目の当主を誰にするか？　死亡した曾根吉紀氏には、十五歳になる一人娘の優菜お嬢様がいます。吉紀氏と最初の奥さんとの間にできた子で、三歳の時に離婚して以来メイド頭《がしら》に育てられた。これがただのメイド頭じゃない。アキバの老舗メイド喫茶で十年間本格メイド修業をしたという、メイド・クイーンと言われたプロのメイドで、しかも生れは亀戸《かめいど》という。本モンですな。

では跡目は優菜お嬢様で決まり！　という訳でもありません。実はこの死亡した吉紀氏には、若い頃、水商売関係の女性との間に設けた一女がいるという。婚姻関係以外の子を非嫡出子と言う、ひちゃくしゅつし！　言いにくいです。早口ではもっと言えません。ヒチャクチャク……イチャチャチャ……言えません。もうきゃりーぱみゅぱみゅと同じぐらい言いにくいんです。これが非嫡出子の今年十八歳になる貴子様です。八年前からこの御屋敷のはずれに一軒の家を建てさせ、この御屋敷に住まわせてる。この貴子様の母親は、難病中の難病、アル中です。ここ十五年ズ〜ッと入院治療中！　もう毎日、薬を飲みながら一緒に酒を飲むという。治りません。ホント、アル中は難病です。

この貴子様は、執事に育てられている。しかもただの執事じゃない。英国王室で五年執事修行の後、マザー牧場で羊に三年仕えたという硬派の執事で……、何が硬派だかわかりませんが……。こうしてみると跡目は、やはり優菜お嬢様でほぼ決まりです。

この優菜お嬢様で唯一気掛かりなことは、十五歳の少女が超大型のオオサンショウウオを飼っていることです。いつもプレゼントはメイド任せだった父・吉紀ですが、このオオサンショウウオは、四歳の誕生日に父が自らくれた初めてのものです。

メイド頭「優菜お嬢様、お父様から、何か誕生日のプレゼントです」
優菜「えっ、パパから、スゴイ！」
ドアが開くと、父・吉紀氏がワゴンを押して、その上には大きなリボンのついた箱！
吉紀「優菜、四歳のお誕生日、おめでとう！　このプレゼントは、オオサンショウウオだ。父さんは子供の頃、このオオサンショウウオがほしくてほしくてしょうがなかった。天然記念物で、普通は飼育できないが、やっと飼育できる混血種のオオサンショウウオが手に入った。優菜は気に入ってくれるかな。さあ、これが、オオサンショウウオだよ」
パッとフタを取ると、まだ子供の四十㎝ほどのオオサンショウウオ。焦げ茶色に黒の斑点。地味です。焦げ茶に白の斑点ならまだ目立つのに、焦げ茶に黒！　全然目立たない。しかもブヨ〜っと太っている。デブのトカゲみたいで、それで両生類ですからベチャ〜〜ッと湿って、目が小さくて口がデカくて、性格は凶暴！　でも気は小さい。もう気の小さいデブの悪役みたい。いいとこなし！　こんな動物、四歳の女の子が好きな訳がない。
吉紀「さ、優菜、一緒に触ろう」

優菜「えっ！　触る？」
　そうです。見るだけで鳥肌が立ちそうなのに一緒に触るんですから、でも大好きなパパの言うことだから、もう目をつぶって触る！　ベタ〜〜ア、ゾゾゾゾ〜ッとホントに鳥肌が立った。
吉紀「ほ〜ら、このベタ〜アっとした感じが、オオサンショウウオだよ？　どう、優菜？」
優菜「うん、チョー可愛い、パパ大好き！」
　調子がいいです。これが子供です。子供ってこういう時、親に合わせてしまうんです。あんなに鳥肌が立ったのに「だ〜い好き」です。
　ところが、もう一度触ったらそんなに悪くない。二回目、イケる。三回目ケッコーいい。四回目からベタ〜ッってサイコー！　なんと四回撫でただけでオオサンショウウオ大好き人間になった。その日のうちにガガ丸という名前を付けた。その翌日。
優菜「パパ、ガガ丸の水槽がほしいの」
吉紀「そうか、わかった、わかった」
優菜「それからお散歩するから、首輪とリードがほしいの」

吉紀「そうか、水にも潜るから腐食しないように銀の鎖と首輪がいい。銀座二丁目に日本一の銀細工店がある。ガガ丸用に銀の鎖と首輪を作らせよう」

それから直ぐに建設会社に電話して、正面入り口の前に二十m四方の水槽を注文。四日後に完成。でも優菜お嬢さんの思っていた水槽は、五十〜六十㎝四方のガラス水槽だった。ところが父・吉紀氏は二十m四方、百坪弱もある水槽を作らせた。体長四十㎝のガガ丸を二十m四方もある水槽に入れ、水を入れたら、ガガ丸がどこにいるかわからなくなり、優菜お嬢様が泣きだした。

優菜「パパ、ガガ丸が見えない！」
吉紀「何？　水槽が大き過ぎてガガ丸が見えないと。では、あのガガ丸に仕える執事を一人雇おう。水槽に入って、今ここにいます、と居場所を教えたり、エサをあげさせよう」
メイド頭「それから旦那様、あのガガ丸舎には、お嬢様の座る椅子がございません！」
吉紀「何？　椅子がない？　それはいけない。では、優菜が座るにふさわしい立派な椅子を買い求めなさい」
メイド頭「ハイ！」

それからいろいろ探しまわったら、フランスのルイ十四世の座った椅子を格安の三千六百万円で買ったという……、全然、格安じゃない！　これを買いまして……。このルイ十四世が座った超豪華なバカでっかい玉座に、四歳の子が座ってエラソーに銀の鎖を持って「ガガ丸」なんて言っている姿を見ると、ぶん殴ってやりたくなるんでしょうね。

それからしばらくすると、

優菜「パパ、ちっともガガ丸大きくならないの！」
吉紀「そうか、うちに来てもう三か月か？　これガガ丸係！　エサは何をやっている？　何、精進料理？　バカヤロー！　オオサンショウウオに精進料理をやってどうする！　このガガ丸には、生き餌がいい！　魚を丸ごと、いや、ニワトリを丸ごとにしなさい。それから筋肉増強剤を使うように」
ガガ丸係「筋肉増強剤？」
吉紀「そう筋肉増強剤。つまりオオサンショウウオのドーピングだ。スポーツ選手は違法だが、ペットは、違法じゃない。今日からガガ丸にドーピングをさせる」

とまあ、えらい騒ぎで。

それからというもの、餌は生きたニワトリです。これをガガ丸舎の中央にポンと放り込みます。

水面を泳ぐニワトリの周りをゆっくり二周ぐらいしたかと思うと、ニワトリのいた水面がボコッと凹む。そこにあらわれた薄暗い洞窟みたいな口の中へ、水と一緒にニワトリが、クワクワクワクッ……スポッ！　と吸い込まれる。

この生餌とドーピングでガガ丸は順調にグングン大きくなり、三年で体長一mを越えた。オオサンショウウオは、最大で一・五mほどですが、このガガ丸、十年後にはなんと二・五mになった。つい先日には、ガガ丸一頭じゃ淋しいだろうと三・五mのワニを放したら、二時間後にこのワニが行方不明になって二・五mのガガ丸が、突然三・五mになったと言う。とんでもない奴です。

もうこの優菜お嬢様とガガ丸は、美女と野獣というか、全く共通点がないようですが、優菜お嬢様は、今も昼寝はガガ丸と一緒に寝るという。銀の鎖を持って時々「ガガ丸」と軽く鎖を引くとガガ丸のいるところにブクブクブクッとなぜか緑の泡粒が浮きピカピカピカピカ〜〜ッと淡く光ります。このサンショウウオにメイドたちはみんな「ガガ丸様」ってさまです。中におべっか野郎になりますと「これはどうもガガ丸師匠」とか、中にはガガ丸兄さんって噺家じゃない、ペットだっつうんです。

こういうことをおもしろく思わない人間もいます。一番嫌いなのはもちろん、貴子様とその執事です。時々、ガガ丸のところにやって来ては、よく嫌がらせをしていました。

ある日、大事件が起きます。それは、水の中で壁を金属で叩くとキ〜ンキ〜ンと嫌な音に聞こえる。それで執事が左手で鶏肉を見せながら、右手に金属を持って壁を叩いてキ〜ンキ〜ン！

貴子「おい、ガガ丸！　さあ、大好きな鶏肉、名古屋コーチンだよ。さあ、ガガ丸食べに来い！」

キ〜ンキ〜ン！　って叩くとその音に驚いて、ガガ丸が、猛スピードでグワ〜〜ングワ〜〜ン。

そこにグリーンの泡が光り出しピカピカピカ〜〜ッと光る。

ガガ丸係「やめて下さい。今日のガガ丸は、機嫌が悪いから危険です。ガガ丸、怒ったら駄目よ！」

執事「ハハハッ、大丈夫ですよ。こいつは、意気地なしですから」

といって、キ〜ンキ〜ンと金属音を鳴らします。

すると次の瞬間、ドバ〜ッと一・五mほどジャンプしてパクッ！　執事が持っていた鶏肉と、執事の小指と薬指をガブ〜ッと引きちぎってザブ〜〜ン！

執事「ぎゃああ、イテテテッ。指を食われた。イテテテッ、ガガ丸に指を食われた！　イテテテッ、イテテテエ」

なんと調子に乗った執事は、ガガ丸に小指と薬指の二本を噛みちぎられてしまった。

執事「イテテエ、チクショウ！　人間の指を噛みちぎるようなサンショウウオは、生かしておけない。このガガ丸、覚悟しろ！」

それから直ぐ、曾根家親族五人組に訴え、ガガ丸をどうするかという緊急会議が行なわれた。とにかく人間の指を噛み切るのを見過ごしにはできない。ガガ丸は処分すべし。その処分方法は、被害者である執事に一任するという結論に達した。すると執事は、

執事「オオサンショウウオのコトをハンザキとも言うんです。それは、体を半分に裂いてもまだ死なないということからハンザキ。私はこのガガ丸を自慢の腕力で二つに切り裂いて、二週間晒してやります」

優菜「いえ、それではいくらなんでもうちのガガ丸がかわいそうです」

優菜お嬢様一人でガガ丸を擁護したのですが、誰も賛成する者はなく、結局、執事の言う通りハンザキにして二週間晒すことに決定した。

まずガガ丸舎の水を全部抜いて、ガガ丸の左半分を大人五〜六人に持たせ、右半分を力自慢の

執事が、

執事「さあ、ガガ丸覚悟しろ！」

（手拭を右側のガガ丸だと言うことで、それを引き裂く仕草）

ギギギギ～～ググググ～～ッ、バリバリバリバリッ！

アゴから尾の先まで、一気にガガ丸をハンザキに。それでもバタバタ暴れるのを、

執事「静かにしろ！！　やかましい！」

と、ガガ丸舎に打ち付けた四ｍもある杭の二本の一方に引き裂かれた左半分を、もう一方に右半分をグルグル巻きにし、二週間晒すことになった。

このガガ丸には、コードのついたセンサーが、体中に貼られ、それが隣の部屋の計器に繋がっていて、生物的に本当に生きているかをチェックする。もちろん、あのロクでもない執事の企みです。

優菜お嬢様も、曾根家親族五人組の決定では、もうどうすることもできない。ガガ丸舎の前の椅子で、ただただ見守ることしかできません。それをメイド頭が心配して、

メイド頭「お嬢様、一日中いてはお体に触ります。少しはお部屋でお休みを」
優菜「大丈夫。ガガ丸から見れば、こんなことなんでもありません」

それから毎日、ガガ丸舎の前の椅子に座り続け、ハンザキにされ左右二つの杭に括り付けられたガガ丸を、ほとんど徹夜で見続けました。
四日目までは、カサカサになりながらも動いていたのですが、五日目からは完全な乾燥肉状態で動かなくなり、そして九日目。

メイド頭「お嬢様、顔色もお悪い。お部屋でお休みを」
優菜「いいえ、ガガ丸がどうなるか心配で……、寝てられません」
メイド頭「あっ、お嬢様の腕が紫色に……、どうされたのですか!?」
優菜「ハイ。ガガ丸の前足が傷ついてプラプラしてましたが、さっき取れてしまいました。それから、私の腕も紫色になりました」
メイド頭「お嬢様、顔色が優れません。熱でも……」
優菜「いいえ、熱はありません。そんなことより、ガガ丸の命の灯が消えかかっています。ガガ丸！　お願い生きていてほしい。何の希望もなくても、生きてほしい。一分でも一秒でも長く……、あっ……、死んだ。ガガ丸が死んだ……」
メイド頭「さっきからガガ丸の見た目は変わりませんが、死んだのがおわかりになるのですか?」
優菜「はい。ガガ丸とは、四歳からず～っと一緒。いつも心にガガ丸を感じていたの。そのガガ丸が私の心から消えた。あれではガガ丸がかわいそう」
メイド頭「お嬢様、取り乱してはいけません。あっ、やはりかなりの高熱! 直ぐに救急車を!」
優菜「お願い、ガガ丸と最後のお別れがしたいの。悪いけど、ガガ丸と二人きりにさせて下さい」
メイド頭「はい、かしこまりました。ではその間に救急車を呼んでおきましょう」

メイド頭が出て行くと直ぐ、例の執事とその仲間たちがドヤドヤとやって来た。

執事「バンザ～イ、バンザ～イ! ガガ丸が死んだ～っ! 嬉しいなあ。でも先生、生命力の強いガガ丸が、ホントに死んだんでしょうね?」
生物の先生(執事の仲間)「はい。生物学的にも細胞学的にも、完全に死滅しました」
執事「へへへッ、やった! ガガ丸が死滅、いいねえ。ハハハッ!」
執事の仲間「あっ、あそこに優菜お嬢様が……」
執事「何、大丈夫さ。どうも、お嬢様。ガガ丸が亡くなったって、どうもご愁傷様で。ヘッへへへ。心からお悔やみ申し上げます。へへッ。先生、今日はガガ丸が死んだ祝い酒でワッとキャバクラでも行きましょう。今日はめでてえや、ハハハハッ！」

優菜「……、ガガ丸、ごめん。こんなみじめな死に方をさせて、ごめんね。お父様さえ生きていれば、こんな思いはさせなかったのに……。でも二週間も無残に晒しておきながら、ガガ丸が死んだら、祝い酒なんて……、むむむ～っ……、いくらなんでも絶対、許せない！」

悲しみの裏に怒りがあり、怒りと悲しみのあまり、懐から懐剣を出した。こういう旧家のお嬢様になりますと、護身用の短剣を持っている。日本の女性は、死ぬ時喉を突くのが正統です。この時お嬢様は、激しい怒りのために、この短剣を首の頸動脈の上に載せて右手でガッ！　血がピュ～～ッ！　パタっ。と、ガガ丸に繋がった鎖を、両手に一本ずつ持ったまま亡くなった。

すると、流れ出た血が鎖をタラタラタラタラと伝い、杭まで流れて、その血の一滴が、ガガ丸の干し肉にポタッと伝わると、う～～～んと筋肉が動き始め、もう一滴が心臓に届いた瞬間、グワングワンと心臓が動き始め、干からびた肉は見る間にヌメヌメとした両生類の肉感が戻り、引き裂かれ杭にグルグル縛りされた左右のガガ丸の体は、まるで無脊椎動物のようにウニュウニュウニュウニュウと近づいてクルクルッとまるまると、あのガガ丸に復活した。それから壁を登ってお嬢様の亡骸の元に来ると、血の匂いを嗅ぎながら懐かしそうに何かを思い出す。やがて血を体中にこすりつけ、流れ出た血をペロペロとなめると、ビシビシビシビシ、バ～～ン！　赤く光ったと思った瞬間、全長三ｍを越す紅色のガガ丸になった。

警備員「あっ、ガガ丸だ。ガガ丸が復活したぞ！」

と警備員が駆け付けた瞬間、ガガガガ～～ッと光ってパっと姿を消した。その後どこを探しても紅色のガガ丸の姿はなかった。

一方、曾根家親族五人組は、優菜お嬢様の自殺を確認。そして非嫡出子の貴子様を正式な曾根家七代目当主と決定した。貴子様は、優菜お嬢様とガガ丸に関する一切のものは焼却処分とした。燃えない銀などの金属は、溶かして他の金具を作る時に混ぜ、ガガ丸のいた水槽、ガガ丸舎は、円形の噴水に作り変え、優菜お嬢様とガガ丸の痕跡を完全に消そうとした。

その夜、新たに七代目当主となった貴子様は、御屋敷の一番大きな主人の間で、執事と何やら楽しそうに話をしていた。

執事「大金持ちの暮らしっていいよなあ。へへへへッ」
貴子「まったく、ねえ。執事さん！　ホント、みんなうまくいったね」
執事「おっと（まわりを注意して……）誰かに聞かれちゃまずいから……、おっ、大丈夫だ。あれはうまくいった。しかし、俺の小指と薬指がつけ指だなんて、少し見りゃわかりそうなもんだ」
貴子「でもまさか、執事が、元ヤクザって誰も考えないからね」
執事「フフフッ。そう、俺は元ヤクザで元々小指と薬指がなかったから、ず〜っとつけ指をしていたんだ。あのガガ丸は、水の中の金属音が大嫌いでジャンプするのを知っていたから、水の上にエサを持って水槽をキ〜ンキ〜ンと叩いたら、予想通りジャンプし、見事にエサと俺のつけ指をバクッと加えても潜ったのさ。へへへっ。しかも、つけ指の下にはチャンと血を用意していたから、みんな俺の指を噛み切られたと騙されたのさ」
貴子「アタシも騙されたさ。でも六代目はいい時に死んでくれたね」
執事「おい、あれをただの事故死だと思うのか？」
貴子「えっ、違うの？」
執事「実はここの旦那はホント酒に弱いのよ。しかも風呂に入る時は使用人を使わない。あの時、かなり酔って風呂に入ったのさ。そのバスルームに忍び込んで力自慢の俺は、六代目に襲いかかり、口を無理やりに開けて……」
貴子「えっ、どうしたの？」
執事「アルコール度数のうんと高いウォッカを流し込んでやったのさ。しかも二本！　それから口を押さえて酒が出ないようにし、湯船で顎まで浸かって静かな旦那の頭をグ〜っと押して、オデコまでお湯に浸けてあげたのさ。後は綺麗に掃除をして、指紋も消して帰ったって訳だ」

貴子「それってマジなの？」
執事「もちろん、冗談ということにしておこう」
貴子「そういえば、お母さん、アル中になったんだけど……？」
執事「おい、それはないだろ……、フフフ……」
貴子「まったくそういうダーティなとこが、凄いよ。父さんは……」
執事「シッ……いいか……、その親子ということだけ、絶対言うな。それがばれたら全ては終りだ。いいな。絶対に……」
貴子「はい、わかった」

それから一か月後、御屋敷でごく内輪の「七代目曾根当主披露パーテイ」が御屋敷噴水前で行なわれた。司会は例の執事。

執事「本日、ご来場、ありがとうございます。この度、七代目のために新しく作られた噴水です。さあ、ライト！」

噴水にライトが当たるとキラキラキラキラ。その池の中を、巨大な影がグ～ング～ンと泳いでいる。

参加客1「あっ、ガガ丸！　生きてたんだ！」
参加客2「ホントだ！」

しかし巨大な影は、直ぐにパッと姿を消した。

執事「ええ、皆様、こちらをご注目！　この度貴子様が七代目当主になるにあたって、記念モニュメントを制作いたしました。高さ七ｍ、横五ｍの総ステンレス作りのレリーフ像です。タイトルは、『仁王の剣』です。さあ、一緒にヒモを持って引きましょう。それではイチ、ニイ、サ〜ン！」

パラッと布が落ちる。あの仁王様が、剣を両手で振りかざして、仁王立ちしている姿です。一番先端部分はまさかりの歯のように尖っている剣を両手に持って振り被っている！

参加客3「わあ、あの仁王さん、凄い迫力だなあ」
執事「さあ、それでは皆さん、クラッカーが一つずつ渡っていますね。フィンガー・クラッカーというニュータイプだそうです。これを誰でもかまいません。好きな人に向けて、さあ、いいですか、おめでとう！」

パーティ参加客が一切にクラッカーを鳴らす。すると、司会をする執事にコンコンコ～ンと十個ぐらいが飛んできた。

執事「なんだ、痛いな。指サックと思ったら……、つけ指！　なんでつけ指が落ちて来たんだ？　いやいや、皆さん、落ち着いて下さい！　これはタチの悪い冗談です。私はつけ指じゃありません。この通り、指が……、ない。いけねえ。いつ落としたんだ」

参加客４「あっ、指に傷跡も何もない！　さては昔から指がないんだな！　つけ指……？　執事、さてはガガ丸に指を食われたというのは、ウソだったんだな！　優菜お嬢様を失脚させるために仕組んだワナだったのか！」

執事「ハッハッハ、ハイハイハイ。ひとまずごゆっくり御歓談を……。（小声で）おい、貴子、屋敷に戻って大急ぎで荷物をにまとめるぞ。直ぐズラかる用意だ」

貴子「ねえ。ちょっと待って、お父さん！」

参加客５「……お父さんだと？　お前たち二人は親子なのか？　じゃ、曽根一族じゃないだろ？」

執事「ハッハッハ、とにかく、御歓談を！　おい、とにかく逃げるぞ～～っ！」

執事と貴子は、大急ぎで部屋まで戻って来て荷物をまとめる。

執事「ハアハア、とにかく、まあ水を一杯飲もう」

キューーっと蛇口をひねると、中からヌル～ッと黒っぽい指が出てきた。

貴子「キャ～ッ、何？　この指は？」

更に指がまたヌル～ッ、ヌル～ッと、二本三本と増え、その後から足がググッ！

貴子「あっこれ、ガガ丸の左前足よ」
執事「おい、水道の栓を閉めろ」

キュッと閉めるとクククククッ、スポッと足は蛇口の中に戻った。

貴子「この水道は危ないから、こっちのシャワーをひねって」

すると今度はシャワーの穴から、ガガ丸の両前足の指がヌヌ～ヌヌ～ッヌル～ッ！

執事「わっ、なんだこりゃ！　栓を止めよう」

きゅっと栓を止めると、またスポッっと足が引っ込む。

執事「とにかく急いで逃げよう」
貴子「待って、私も行く」

二人は荷物を持って走り出す。

貴子「見て、スゴイ。さすがの御屋敷ね。ホラ、天井に真っ赤な龍の絵が書いてある」
執事「おい、何走って逃げながら天井の龍を褒めてるんだ」
貴子「うるさいわね。これは落語だからイイじゃない。あっ、龍だと思ったら、あれは真っ赤なガガ丸。捕まったら大変。あっ、玄関が見える。あそこが出口よ！」
執事「出口に急げ～っ！　ワア、逃げ切ったな」

と、ドアをド～ンと突き破って外に出る。するとそこはなんと四階！

執事「うそだろ、なんでここが四階なんだ。わあ。落ちる。下にあるのは仁王の剣。ワア、剣の上に落ちる〜〜っ。わ〜〜あ、落ちる〜〜〜」

二人とも股の間に仁王の剣がズズッ、ズズッズズズズ〜〜〜。自分の体の重みでズズッズズッズズッと、徐々に体が半分に切れて行く。執事は、大腸、小腸、胃、そして肺までが引き裂かれて来た。

執事「おれ、真ん中の肋骨のとこで止まったが、時間の問題だな」
貴子「アタシ、まだ骨盤のとこ。女性は骨盤が丈夫だから……、あ、あ、あ〜〜〜〜、骨盤が切れた。けどまだ皮下脂肪がいっぱいあるから大丈夫」
執事「貴子はいろいろガードできるものがあって幸せだな」
貴子「あたし、父さんの子でなかったら、今頃、こんなことしてないね」
執事「今更言うな」
貴子「神様、どうか父だけハンザキを二回にして、私は0回にして下さい」
執事「く〜〜っ、なんて娘だ。あっ、肋骨が切れて、喉が、ゴボゴボゴボ」
貴子「父さん！　あっ、あたしも皮下脂肪が切れて、とうとう喉に！　ああ、きっとガガ丸をハンザキなんかしなかったら、あたしはもっと幸せだったのね」

執事「ゴボゴボ、とうとう顎まで来た……」

ググググ～～ッと引き裂かれて二人とも頭蓋骨三㎝のところで止まった。仁王像の剣でハンザキになる二人。その後、警察が来て二人を降ろそうとしましたが、どうやっても金属に貼りついて取れず、結局十四日間晒されたという、現代怪談噺『ハンザキ』というお噺でございます。

名古屋弁 金明竹

なごやべんきんめいちく●初演一九六八年　アレンジ：池坊卓也（註：円丈のペンネーム）

まだ前座のぬう生時代、師匠円生より
「ぬう生！　お前は名古屋の人間だから大阪弁ではなく
名古屋弁でやったらよかろうなんてんで、てへへっ」
一時名古屋でたいこ持ちをしていた先代の円蔵師匠に
円生が頼んでくれ、大阪弁の部分を名古屋弁に直してくれた。
前座なんてそんなにウケる訳はないが、このネタは破格にウケた。
その後やアレンジやマイナーチェンジを繰り返し今に至る。

Kin-Mei-Chiku Nagoya Ver.

落語の方はといいますと、よく愚か者が出てきまして。こういう者は、店に入ってもなんか注文するものが変わってまして、

与太郎「あのあのあのあのですねえ！」
店員「ハイ、なんでしょう？」
与太郎「あのあの、う〜〜〜〜んとあったかいコーヒーありますか？」
店員「あっ、ホット・コーヒーですか？　ありますよ」
与太郎「あっ、じゃあ、それを、う〜〜〜〜んと冷たくして持ってきて！」

なんて、なんか変わってまして。こういうのが二人集まるとどうなるか？

与太郎「あのあのあのあのあのですねえ」
店員「はいはいはいはいはい、なんでしょう？」
与太郎「あの、縦一mで、横五十cmのガラス板下さい」
店員「少々お待ち下さ〜〜〜〜い！　あら、売れ切れちゃった。あのう、縦一mというのはないんですが、縦が五十cm横一mのガラス板ならあるんです」
与太郎「あっ、そ〜〜〜〜う。じゃあ、いらないや」

なんて帰っちゃったりしまして。こういう者が出てきますと、落語の方の幕が開いたりしまして。

旦那「おい、与太、与太郎！　ぼーっとしてるんじゃねえ。さっきから雨が降ってきた。こういう時には、傘を貸してくれと借りに来る奴がいるが、傘なんて、借りたら誰も返しに来ない。断りな。ただ断るというのも角が立つからな、こう言いな。うちにも貸し傘は何本もございましたが、こないだからの長雨で骨は骨、紙は紙でバラバラになってしまいまして、今、傘屋に直しにやりましたばかりで。急の用には間に合いませんでお気の毒様でございます、と言って断りな」

与太郎「ああ、わかった。今度そう言って断るからいいよ」

隣人「んちわ！」

与太郎「ああ、お隣のおじさんのおじさん。なあに？」

隣人「ああ、今、ねずみを追い込んだんだよ。こんなデケえねずみでな。あれを逃がすと困るんだ。すまねえが、猫がいたら貸してもらいたいんだがな」

与太郎「ああ、猫ね。ハイ、あのね、うちにも貸し猫は何匹もいましたがねえ、こないだからの長雨で骨は骨、皮は皮でバラバラになっちゃって、今、猫屋に直しにやってる」

隣人「何言ってるんだ。猫、おめえの後ろにいるじゃないか？　貸せよ！」
与太郎「へっへへへ、いてもダメ！」
隣人「何言ってやがんだ。このケチッ！」
与太郎「へへへ、怒って帰ってったよ。えっ、今ねえ。隣から猫を貸してくれってきたよ」
旦那「うん、貸してあげたのか？」
与太郎「ううん、断ったよ」
旦那「なんで断るんだよ。いつもお前が行っちゃお世話になってるんだ。第一、なんて言って断ったんだ？」
与太郎「うん、うちにも貸し猫は何匹もおりましたけどもって、こないだから長雨で骨は骨、皮は皮でバラバラになって、今、猫屋に直しにやってる！」
旦那「何を言ってるんだ。そりゃ傘の断りようだろ。もし猫を断るんなら、うちにも一匹おりましたが、こないだからサカリがつきまして表へばかり出歩きます。どっかでエビの腐ったのでも食べましたか、ほうぼうお座敷を汚しますんで今裏の納屋に縛ってありますと、こう言うんだ！」
与太郎「わかった。今度はそう言って断るからいいよ」
山崎屋「ええ、ごめんくださいまし、山崎屋でございますが。手前共の主人にちょっと目の届きかねる品が出てまいりまして。誠に申し訳ございませんが、お宅の旦那様に鑑定のお願いに上がったような訳でございまして」
与太郎「ああ旦那？　ええ、内にも旦那は一匹おりましたけどねえ」
山崎屋「一匹？」
与太郎「ええ、こないだからサカリがつきましてね、表へばかり出歩くんですよ。どっかでエビの腐ったのでも食べましたか、ほうぼうお座敷を汚しますんで、今裏の納屋に縛ってある」
山崎屋「そういたしますと、お宅の旦那、パアになっちゃった。左様でございますか。ええと、改めてお見舞いには上がるでございましょうが、本日はこれで失礼いたします。ごめん下さいまし」
与太郎「ははははっ、帰っちゃった。ええ、今、山崎屋ってとこから来たよ」
旦那「山崎屋か、また何か鑑定の品があって来たんだろう。頼みに来たのか？」
与太郎「うん、断ったよ！」
旦那「なんで断るんだよ。商売のことは奥に言わないといけない。なんと言って断ったんだ？」
与太郎「うん、うちにも旦那は一匹おりましたけども、こないだからサカリがつきましてね、表へばかり出歩くんですよ。どっかでエビの腐ったのでも食べましたか、ほうぼうお座敷を汚しますんで今裏の納屋に縛ってある」
旦那「何を言ってるんだ。そりゃ猫の断りようだろ。なんだ、サカリがついたって。あたしゃ明日っから表を歩けやしないよ。表を歩くと、ご覧なさい、あれがサカリのついた旦那ですよ。この頃じゃ男女の見境もつかないと言う、そりゃ大変です、逃げましょう！　きゃ〜〜っ、なんて。こりゃあえらいことだよ。早速山崎屋に行って謝ってこよう。おい、奥や、私はこれから出掛けますが、店にはこの与太が一人だから、誰か来たら気をつけてみてやっておくれ。それからお前もそうだ。ぼーっとしてるんじゃないぞ。いいか与太郎、どなたかお見えになったら、お前じゃわからないんだから、ちゃんと奥に言いな。わかったな。じゃあ出掛けますよ」

内儀「行ってらっしゃいませ」

与太郎「行って〜〜〜〜〜こい！」

内儀「なんだい、行ってこいとは、ホントにしょうがないねえ。いいかい。どなたかお見えになったら、ちゃんと私に言うんだよ。いいかい？　わかったね？」

与太郎「う〜〜〜〜〜〜ん。なんだい、この家は夫婦で小言を言ってるよ。おもしろくないや。ふんだ。……あら、なんだ？　うちの前に変な奴が来たぞ」

名古屋人「ええ、ごめんやす、ごめんやす」

与太郎「へへへへっ、謝ってるよ。ごめんやすって。なんでやすやす？」

名古屋人「あの旦那、ござってりゃあすきゃ〜〜あ」

与太郎「へ〜、おもしろい奴が来たね。なあに？」

名古屋人「ほんだで旦那は、おってりゃあすきゃ〜〜〜っ」

与太郎「ひひひひっ、おもしろい奴だなあ。あのアンタ、イラン人？」

名古屋人「なにこいとるんだ。わしは名古屋人だがねえ。あのよう、わしは中橋《なかばし》の加賀屋佐吉《かがやさきち》のつきゃあのモンだわ。つきゃあのモン。わかっとるきゃあつきゃあのモン。ズ〜ッとみゃあになかぎゃあにやああちが、話してったけど道具七品《どうぐななしな》のこつたけど、ありゃあよう、裕乗《ゆうじょ》、光乗《こうじょ》、宗乗《そうじょ》の三作《さんさく》の三所紋《みところもん》。備前長船則光《びぜんおさふねのりみつ》、横谷宗珉《よこやそうみん》、四分一拵《しぶいちごしら》え、小柄《こづか》つきの脇差し。柄前《つかまえ》は多賀屋さんじゃ言うてりゃあしたけど、あれは埋もれ木だで、あんばいよう言っとってちょう。ほんでもって黄檗山《おうばくざん》、金明竹ズンド切りの花活け。青磁の香炉のんこの茶碗、古池や蛙飛び込む水の音だぎゃあと言うもんでよう。あれは風羅坊芭蕉正筆《ふうらぼうばしょうしょうひつ》の掛け物、沢庵木庵隠元禅師《たくあんもくあんいんげんぜんじ》、張り交ぜの小屏風。あの屏風は、うちの旦那の檀那寺《だんなでら》が兵庫にあって兵庫の坊主の大好きな屏風なもんだで表具《ひょうぐ》へやって兵庫の坊主の屏風するもんだで。あんばいよう言っとってくれなかんでかんでかんわ〜〜〜っ！」

与太郎「へえ、おもしろいねえ。かんでかんでかんわあああ。へへへへ。十円やるから、もう一回やれ！」

名古屋人「おみゃあさん、くそたわけかね。とろくしゃあこと言っとったらかんぎゃ。わし、おみゃあさんに口上を言ったんだけどどうもおみゃあさん、わしの言っとることがわからんらしいなあ」

与太郎「ははっは、そうわからんらしい。ひひひひ、おもしろいなあ。おい、もう一回やれよ。よう、おい！　ちょっとお内儀さん、おいでよ。表におもしろいモンゴル人が来たから」

内儀「これこれ……、とんだ粗相をいたしまして、申し訳ありません。親戚から預かっておりますが愚かしい者でございまして」
名古屋人「何？　あんた、お内儀さんでござってりゃあすきゃ～～っ」
内儀「りゃあすきゃあ？　はい、家内でございますが」
名古屋人「ほ～きゃ、ほ～きゃ。そりゃよかったわ。今そこにおる小僧さんに口上言ったらちっともわっからせん。言うもんだでっどうしょうかしゃんと思っとったトコだぎゃあ。おみゃあさん、わしの言っとるコトがわかっとるかわかっとらんかわからんけどよう、わかってりゃあ～すきゃあ？」
内儀「はあ、あのう、はい、今ウチの主人が出掛けておりますが、どちら様で？」
名古屋人「あのよう、わしは中橋の加賀屋佐吉のつきゃあのモンなんだぎゃあ。つきゃあのものなんだわ。わかっとりゃあすきゃあ？」
内儀「はあ、なか、なか、なか、なか、中橋の加賀屋さんのお使いの方でございますか？　はあ」
名古屋人「加賀屋佐吉のつきゃあのモンで。ズ～ッとみゃあになかぎゃあにゃあああちが話してってけど、道具七品のこつたけど、ありゃあよう、裕乗、光乗、宗乗の三作の三所紋。備前長船則光、横谷宗珉、四分一拵え、小柄つきの脇差し。柄前は多賀屋さんじゃ言うてりゃあしたけど、柄前は埋もれ木だで、えか？　柄前は埋もれ木だであんばいよう言っとったってちょう。ほんでもって黄檗山、金明竹ズンド切りの花活け。青磁の香炉のんこの茶碗、古池や蛙飛び込む水の音だぎゃあと言うもんでよう。あれは風羅坊芭蕉正筆の掛け物、沢庵木庵隠元禅師、張り交ぜの小屏風。あの屏風は、うちの旦那の檀那寺が兵庫にあって兵庫の坊主の大好きな屏風なもんだで表具へやって兵庫の坊主の屏風するもんだで。あんばいよう言っとってくれなかんでかんでかんわ〜〜〜っ！」

内儀「……ふふふ、笑うんじゃないよ、馬鹿だね。ひひひ、お前が笑うから私までおかしくなるじゃないか。お茶を持ってらっしゃい！　はははは、ホントに馬鹿でございまして。ははははは、ああおかしい。……で、御用は？」

名古屋人「あのよう、今言ったのが用事なんだぎゃあ」

内儀「はあ、左様でございますか。今アレにチョッと気を取られておりまして二、三聞き損ねたところもございますねで。申し訳ございませんがもう一度！」

名古屋人「ええかげんにしてちょう。わしはこれで三きゃあ目だぎゃ。三きゃあ日。更にやったら四きゃあ目だよ。そんなにやってどうするんだ」

内儀「誠に申し訳ありません。もう一きゃあ！」

名古屋人「あんたまでもう一きゃあってコトがあるきゃあ。ほんじゃもう一きゃあだけやるでよう聞いとってちょ。わしはよう。中橋の加賀屋佐吉のつきゃあのモンで。ズ〜ッとみゃあになかぎゃあにゃああちが、話してってけど、道具七品のこつたけど、ありゃあよう、裕乗、光乗、宗乗の三作の三所紋。備前長船則光、横谷宗珉、四分一拵え、小柄つきの脇差し。柄前は多賀屋さんじゃ言うてりゃあしたけど、柄前は埋もれ木だで、えか？　柄前は埋もれ木だであんばいよう言っとったたってちょう。ほんでもって黄蘗山、金明竹ズンド切りの花活け。青磁の香炉のんこの茶碗、古池や蛙飛び込む水の音だぎゃあと言うもんでよう。あれは風羅坊芭蕉正筆の掛け物、沢庵木庵隠元禅師、張り交ぜの小屏風。あの屏風は、うちの旦那の檀那寺が兵庫にあって兵庫の坊主の大好きな屏風なもんだで表具へやって兵庫の坊主の屏風するもんだで。あんばいよう言ったたってちょう。もう怒ったでよ。帰るぎゃ～～～～っ！」

内儀「あの……、もし……、ちょいと……、お帰りになっちゃったよ。バカだねえ。お前がゲラゲラ笑うから怒ってお帰りなったんだよ。どこの言葉だか知らないけどみゃあみゃあみゃみゃ言われてわかりゃしないよ。お前ははじめっから聞いてるんだから、少しぐらい覚えてるんだろ？」

与太郎「ちゃんと覚えてるよ。先ず最初にござるきゃあ、おるきゃああ、みゃあ、きゃあ、ぎゃ～～～～っ！」

内儀「そんなことは覚えなくていいんだよ。お前は覚えなくちゃいけないことは覚えなくて、どうでもいいことだけ覚えるねえ。どうするんだよ。旦那が帰ってきたら私が小言を言われるんだよ。あっ、お帰りなさいまし」

旦那「ああ、今帰りました。どうしたんだ。また与太に小言か。こりゃあ駄目だよ。バカだから何かあったらお前がした方がいい。えっ、私の留守に誰か来たのか？　でお前が出てくれたんだろうな。ああ、そうか、そりゃ安心だ。で、どちらから？」
内儀「……はい、あちらから……」
旦那「あちらってどちらの？」
内儀「はい、あちらもいろいろナニした……、どうしてもこちらでナニすることになったから、それじゃナニをしたらナニだという」
旦那「なんだか、ちっともわからないじゃないか。いや、店にはこんなバカが一人しかいないから お前に出てくれと、あれほど頼んでおいたんだ。出たんだろ。どなたがお見えになったんだ？」
内儀「はい、あのう、なか、なか、なか、中橋の加賀屋」
旦那「ああ、加賀屋の使いが来た。で、なんだって？」
内儀「はい、あのう、いろいろ口上を申し上げておりまして。一番はじめにござるきゃあ、おるきゃあ、みゃあ、きゃあ、ぎゃあ〜〜〜っ！」
旦那「お前、バカがワープしたんじゃないのか。だからどうしたんだ？」
内儀「はい、あのう、なか、なか、仲買いの弥一さんが」
旦那「仲買の弥一？　あの男には道具七品を買うべき手金が打ってある。弥一がどうかしたのか？」
内儀「はい、弥一さんが、捕まって埋められた」

旦那「弥一が、捕まって埋められた？　とんだ目に遇ったな。で、どうしたんだ？」
内儀「はい、なんでも遊女を身受けをしたんです」
旦那「また派手なことをしたなあ」
内儀「その遊女を寸胴切りにして、床の間に花活けとして置いた」
旦那「危ない奴だな」
内儀「でえ、遊女があ、工場にい、掃除に行ったらあ、野村監督が出てきた」
旦那「なんで野村監督が出て来るんだ？　野村はもう引退したんだろう？　それで、どうした？」
内儀「ええ、タクワンとインゲンを食べると野村監督出て来る」
旦那「だから、なんで野村監督が出て来るんだ？」
内儀「それで、兵庫の坊主の大好きな阪神は、今年も最下位！」
旦那「何を言ってるんだ、お前は」
与太郎「それからね、ウンコを茶碗で伏せる」
旦那「うるさい。お前に聞いてるんじゃないんだ。どこの世界にウンコを茶碗で伏せたことを知らせにくる奴がいるんだ。あっちに行ってろ！　しかしお前の言ってることは訳がわからない。何か一つぐらい確かなことは覚えていないのか？」
内儀「あっ、そうだ。古池に飛び込みました」
旦那「弥一が古池に、そりゃ道具七品を買ってか？」

内儀「いいえ、買わずでございます」

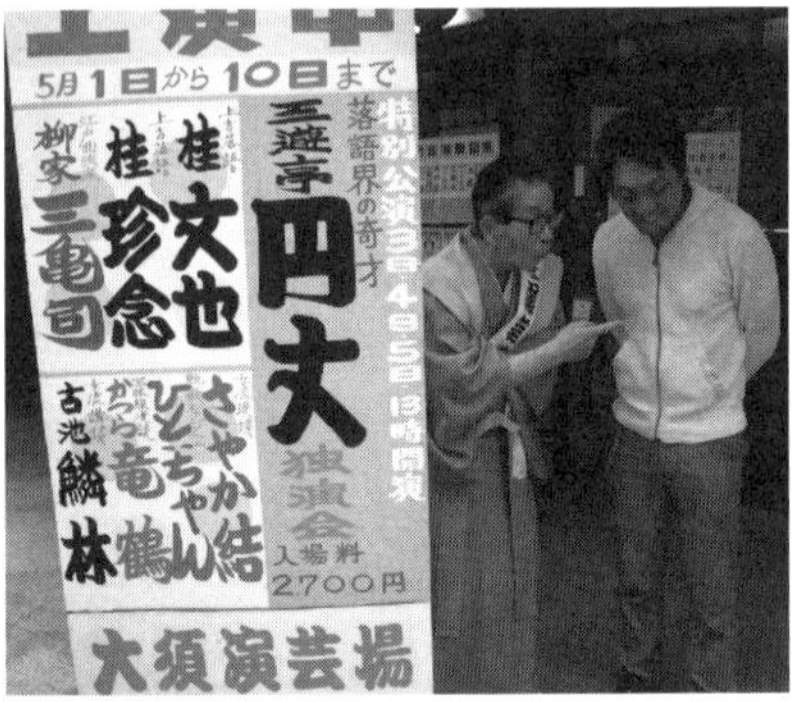

中京圏唯一の寄席、笑いの殿堂大須演芸場でも独演会を開催

新寿限無

しんじゅげむ ● 一九八一年初演

TBS落語研究会で初演。
おうむ返しの部分が全く口慣れていなくて
デキは良くなかったが、バカウケしました。
以後、寄席ではかなりかけていますが、
いつもそこそこウケてくれるありがたい噺です。

Shin-Jugemu

噺家の中で私は、ネタの多いので有名でございまして、もう昔は散々古典落語をやりまして、約百三十本の古典を覚えました。それから新作は、ほとんど自分で作って三百本を優に越え、もう数えるのを止めたぐらいです。ですから、合計で大体五百本のネタがあるんです。はっきり言って、今、日本で一番ネタの多い芸人が、この私なんです。で、直ぐやれるとなると三本に減るんですが……。ですから、その三本のうちどれをやろうかと、何時も迷う訳で……。

今日はホントの落語通のお客さんばかりですので、なまじのネタでは、通用しません。そこでもう名作中の名作をやろうと思います。で、名作といえばもう誰がなんと言っても『寿限無』です。

お客さんの中には「バカにしてんのか、この野郎！」「寿限無なんて前座噺じゃねえか。何が名作だ！」なんて顔してる人もいますが。確かに『寿限無』というのは有名な噺ですから、今日のお客さんは、ほとんどがご存知だと思いますが、しかし、これだけお客さんがいますと中には「知らない！　何、それ？」なんて方も、三名ほどはおいでになります。そこで、そういう方のために、予めあらすじを先に申します。この『寿限無』という古典落語は……、

ある夫婦の間に子供が生まれ、これが玉のような男の子。そこでなんとか良い名前を付けてもらおうとお寺に行きまして、和尚さんからありがたいお経の文句で、「寿限無寿限無五劫の擦り切れ、海砂利水魚の水行末雲来末風来末、食う寝るところに住むところ、ヤブラ小路のブラ小路、

パイポパイポパイポのシュウリンガン、シュウリンガンのグウリンダイ、グウリンダイのポンポコピーのポンポコナーの長久命の長助」という長い名前を付けてもらいました。

それからこの子がすくすく成長しますと、わんぱく小僧になりまして。近所の子供を殴ったりしますと、殴られた子が泣きながらコブを作ってやってきまして、
金ちゃん「うわ～ん！　おばちゃんとこの寿限無寿限無五劫の擦り切れ、え～んえん、海砂利水魚の水行末雲来末風来末、食う寝る所に住む所、ヤブラ小路のブラ小路、パイポパイポパイポのシュウリンガン、シュウリンガンのグウリンダイ、グウリンダイのポンポコピーのポンポコナーの長久命の長助ちゃんが、僕の頭をぶってコブができた～」

母「じゃあ、何かい？　うちの寿限無寿限無五劫の擦り切れ、海砂利水魚の水行末雲来末風来末、食う寝る所に住む所、ヤブラ小路のブラ小路、パイポパイポパイポのシュウリンガン、シュウリンガンのグウリンダイ、グウリンダイの……」

と、やっていると、あんまり名前が長いのでコブが引っ込んだ！

これがあらすじでございまして。これをもう一度最初からやってみようという、大変わかりやすいお話で。これが今の時代ですと多少様子が変わってくるようです。

それでは早速『寿限無』に突入しましょう。

母「ちょいとお前さん、子供が生まれたんだよ」
父「子供が？　誰の子？」
母「何を言ってるんだよ。お前とあたしの子だよ」
父「マジ？」
母「マジだよ。とにかく名前を付けるの。お寺の和尚さんに付けてもらっといでよ！」
父「え、和尚さん？　ダメだよ。あの和尚さん、この頃檀家が少ないってんで、お寺やめて回転寿司始めちゃったよ」
母「回転寿司やってるの？」
父「看板が表に出てるだろ。回転寿司まぐろ寺って」
母「回転寿司まぐろ寺？　ホント？　だけど、息子さんがいたろ？」
父「援助交際で捕まっていないんだよ」
母「ホント？　どうしよう。やっぱり初めての子だから、そんじょそこらの人じゃダメだよ。偉い先生に名前を付けてもらわないと。誰か偉い先生知らない？」
父「無理だよ。そんな、うち辺りに偉い先生に知り合いなんか……、あっ、そうだ、そうだ。一人知り合いがいたよ」

母「えっ、誰なんだい？」
父「ほら、昔近くに斎藤さんのお坊ちゃんがいたろ？　あの坊ちゃん、大学の先生だ。しかも八年前には、イカサマ入試事件にも関わったというぐらい偉い……」
母「それ偉いの？　とにかくさあ、その斎藤先生のとこで名前を付けてもらおうよ」
父「わかった。じゃあ行ってくる！　おっと、ここだな。斎藤って表札が出てら。ピンポン！　ピンポン！　先生いますかぁ？」
先生「おう、誰だと思ったら八っつぁんじゃないか。こっちへお入り」
父「どうも先生、しばらくで」
先生「久しぶりだな。よく来てくれた。まあ、こっちへ上がりなさい」
父「それじゃ、遠慮なくお邪魔します」
先生「今日は何かい？　遊びに来たのか？」
父「いいえ、実は先生に相談があって来たんですよ。うちで子供が産まれましてね、その名前を付けてもらおうと思ってやって来たんですよ」
先生「子供が産まれた、そりゃめでたいな。で、どういう名前がいいんだ？」
父「やっぱり、初めての子供で男の子でして、うんと長生きしそうな名前がいいですね」
先生「うんと長生きしそうな名前か、良い名前がある！」
父「え、ある？　どういう名前ですか？」

先生「お前の家は、確か名字を杉田といったな？」
父「ええ、ウチは杉田っていうんです」
先生「じゃあ、どうだ、杉田ガメ太というのは？」
父「なんです、杉田ガメ太って？」
先生「うん、実はな、ニュースで見たんじゃが、こないだどこかの動物園で三百歳になったのが、
　ゾウガメのガメ太！　めでたい」
父「ゾウガメですか……」
先生「では、杉田縄文杉！　これだと四千年生きる」
父「いい加減して下さいよ。それは木じゃないですか。真面目な相談なんですから」
先生「え？　真面目な相談か。私はまた、てっきり冗談かと思った。ではどうだ。私の学問の専
　門の方で、長生きをしてめでたいものを挙げてみるかな」
父「で、先生の専門というのはなんです？」
先生「私の専門は、生物分子学！　バイオテクノロジーともいう」
父「凄そうですね。そっちの方でめでたいのがあるんで？」
先生「これは専門ということではないがな、世の中科学的に見て一番めでたいものは、酸素だな。
　酸素がめでたーい！」
父「そんな大きな声を出さなくても。酸素って、あの空気に混じってる、いつも吸ってるあの酸

素ですか？　あれがめでたい？」
先生「めでたい、めでたい！　酸素ぐらいめでたいものはない！　人間は、酸素を吸って二酸化炭素を出す。それを植物が吸って酸素に還元。それを人間が吸って二酸化炭素。植物が吸って酸素、人間が吸って二酸化炭素！　これが、グルグルグルグル回転してどこまで行っても果てしがつかないからめでたい！」
父「なるほどねえ。グルグル回ってめでたい。するとね、回転寿司なんてめでたいね。一日中グルグル回って。じゃあ、脱水機なんかピーって回るから、もっとめでたい！」
先生「うるさいよ、ホントに！　余計なことは言わなくてもよろしい」
父「他になんかめでたいものはありますかねえ？」
先生「クローンの擦り切れというのがある。クローンは、当人の一個の細胞から人のクローン人間ができる。これが、歩いていて擦り切れてなくなるのには、一体何億年、何十億年生きるかわからない、果てがない。いやあ、めでたいなあ！」
父「はあ、なるほどね。まだありますかねえ？」
先生「細胞壁《さいぼうへき》、原型質膜《げんけいしつまく》、細胞分裂、減数分裂というのがある！」
父「な、な、なんなんです、それは？」
先生「つまりだ、細胞というものは、限りなく分裂を続ける。果てがない！　いやあ、ホントにめでたいなあ」

父「先生は、なんでもめでたくしますねえ。あとなんかありますかね？」
先生「食う寝るところは２ＤＫ」
父「２ＤＫ！」
先生「チッ素、リン酸、カリ肥料」
父「なんですか、そりゃ？」
先生「これは、植物の三大要素。これがないと植物が生育しない。延いては我々人類も生存できないから、めでたいなあ」
父「そうですか。他には？」
先生「あとは、人間アセトアルデヒド！」
父「へえ、こりゃぁ難しそうですねえ」
先生「もちろんだ。人間というものは、働いた方がいい。汗水垂らして働け！　人間アセトアルデヒドという……」
父「ああ、ただのダジャレだったんですか？」
先生「そういうことだ」
父「まだなんかありそうですね」
先生「アミノ酸、リボ核酸、アセチルサリチル酸というのがある」
父「なんです？　そのアセチルサリチル酸というのは？」

先生「汗が散ると猿も散る酸なんだ。わかったな」
父「わからないですよ。他には？」
先生「ＤＮＡのＲＮＡのヌクレオチドのヘモグロビンのヘモ助だ」
父「ヘモ助？　スンゴイ名前ですね。今のちょっとこの紙に書いてもらえませんかねえ。あっしは難しい字はわかりませんから。ああ、どうも。わあ～、いっぱい書いてありますね。えーと、酸素酸素……、クローンの擦り切れ、えーと、細胞壁、原型質膜、細胞分裂、減数分裂……、食う寝るところは２ＤＫと、チッ素、リン酸、カリ肥料……、人間アセトアルデヒド……、アミノ酸、リボ核酸、アセチルサリチル酸の、ＤＮＡのＲＮＡのヌクレオチドのヘモグロビンのヘモ助！　長いねえ、こりゃ。どういう風にこれから名前を付ければいいんで？」
先生「まあ、この中から適当に抜粋しろ」
父「いや、抜粋って、そうはいきません。面倒臭いから全部付けちゃおう」

なんていいかげんな親がいたもんで。
この名前が、生物分子学的に適合したものとみえまして、この子がすくすく成長しまして大変なわんぱく小僧となる。近所の子供を殴ったりしますと、殴られた子が泣きながらコブを作ってやってきまして、金ちゃん「うわ～ん！　おばちゃんとこの酸素、酸素、クローンの擦り切れ、細胞壁、原型質膜、細胞分裂、減数分裂……、食う寝るところは2DK、チッ素、リン酸、カリ肥料、人間アセトアルデヒド、アミノ酸、リボ核酸、アセチルサリチル酸、DNAのRNAのヌクレオチドのヘモグロビンのヘモちゃんが、ぼくの頭をぶってコブを作ったー！　エ～ン、ユ～ン」

母「え、じゃあ何かい？　うちの酸素、酸素、クローンの擦り切れ、細胞壁、原型質膜、細胞分裂、減数分裂、食う寝るところは2DK、チッ素、リン酸、カリ肥料、人間アセトアルデヒド、アミノ酸、リボ核酸、アセチルサリチル酸、DNAのRNAのヌクレオチドのヘモグロビンのヘモ助が、金ちゃんの頭をぶってコブを作った？　ちょいとお前さん！　今の話を聞いたかい？」

父「何？　ウチの窒素、窒素……」

母「窒素じゃないんだよ。酸素だよ！」

父「あ、そうか。時々間違えるんだ。こりゃ大変だ。おばあさん、おばあさん！　うちのババアは、耳が遠いんだ。しょうがねえなあ。お～い！　おばあ～さ～ん、今の話を聞いたかい？」

婆「あああ、なんだろ。あの……、うちのフッ素フッ素……」

父「フッ素じゃねえんだよ。酸素だよ！　歯磨き粉じゃねえんだから」

婆「あああ、酸素酸素……、住宅ローンの焦げ付き、サイボーグ009のくねくねしてるトコロテン……、ニンジン、アセモのジンマシン、アミノ酸、近藤さん、山田さん、チルチルミチルさんの伊藤さんのＩＯＣのＶＳＯＰのヒアルロン酸のロンちゃん」

父「全然違うじゃあねえか！　十二年間一緒に暮らして未だに名前を覚えないんだよ。しょうがねえな、まったく……、あれ、どうしたんだ？　金ちゃん、いねぇじゃあねえか？」

母「ええ、あんまり名前が長いので、金ちゃん、死んじゃった！」

2020 年 12 月 23 日の国立演芸場が最後の高座となった

手紙無筆U.S.A.

てがみむひつゆーえすえー

●一九九七年初演・二〇〇六年改

『手紙無筆』という古典落語（字の読めない奴が、やはり字の読めない知ったかぶりの兄キのところに手紙を読んでもらいに行くという噺）を、アメリカから英語のＦＡＸが届き驚いて、英語のわからない兄キのところに聞きに行くというストーリーに変えて書き下ろした。

Tegami Muhitsu U.S.A.

えー、お笑いを一席申し上げます。どうも日本人は、英語の苦手な人が多いようで、私も苦手なんですが。

大体よく考えてみると理屈に合わないとこが英語にはあります。例えば動物園のことをＺＯＯと言いますが、あれはスペルをＺ・Ｏ・Ｏと書くんです。それならゾーと発音すりゃいいんです。第一、動物園にはゾウがいるんですから、ゾーでいいんです。ところがズーって発音する。これがわかりません。

ただ、アメリカ人に言わせると、動物園に行くとズーっといるからズーでいいんだと、そう言ってましたが。

一番わからないのが、発音しないＴ！　例えば、ＲＥＳＴＡＵＲＡＮＴです。最後にＴをつける。それでレストラント、と発音すると思わせておいて、実際はレストランと読ませる。やり方が汚いですよ。発音しないんなら書くことないんです。どうもアメリカ人の考えるコトはわかりません。

でもアメリカ人に言わせると、レストランの最後にＴをつけるのは当たり前だ。食後にティーは付き物だと言ってましたが。

銀次「兄キー、てえへんだ、てえへんだ、てえへんだー！　いるかーい？」

兄キ「なんだ？　誰かと思やぁ、浅草のリトル・ボーイ銀次じゃねえか。日暮里のグレート・ブラザーの鉄ちゃんになんのアポイントだ。オープン・ザ・ドア。ザッツ・ライト！」
銀次「へー、なんだか知らねえが、相変わらず流暢な英語を喋ってるねぇ。じゃあ、上がらしてもらうよ」
兄キ「おう、どんどんこっちへテイク・アウト。玄関をフォロー・スルーして座布団プル・ダウン、ドラッグ・アンド・ドロップ！」
銀次「はあ、もう英語が津波のように出るね。そうそう兄キ、たいへんだ。えらいことになっちゃったよ」
兄キ「ヘッヘッヘッ、おめえはまたビッグ・ハプニングにエンカウントしやがって。もっとセーフティなランダム・ライフにメランコリックよ。サブリミナルなゲッタウェイのアプローチでエクステンションよ」
銀次「ひぃ、さっぱりわからねえ。ところで、兄キの英語はアメリカ人にホントに通用するの？」
兄キ「なんてプアなこと言いやがるんだ。だからおめえはプリミティブなアット・バッドだ。その点おれはワン・オブ・ゼムだから、カット・アンド・ペーストよ」
銀次「全然わからねえ。いや、兄キはすげえけど、外人にわかるの？」
兄キ「わかるの？　この野郎！　おれのは並みのイングリッシュとは訳が違うんだ！　ロッキーマウンテンの山奥で、灰色熊を相手に五年間、英語の修行をしたんだ」
銀次「えっ、熊と英語？　で、熊は英語がわかるの？」

兄キ「うるせえコノヤロー！」
銀次「いや、そりゃおそれいった。じゃあ、英語はお手のもんなんだ」
兄キ「もう、おれのはマシンガン・イングリッシュと言われてるほどペラペラよ」
銀次「へー、大したもんだ。ホントにペラペラなんだ。実は弱っちゃったんだよ。もう大急ぎで来たんだ！　うちに英語のＦＡＸが来ちゃって、もうびっくり！」
兄キ「何も驚くことはねえ！　ＦＡＸがプレゼンティション・リリースされたぐらいでコンフリクトしやがって、このコンフリクト野郎め！」
銀次「いや、アメリカからＦＡＸだよ、アメリカからの！」
兄キ「アメリカがどうした？　アメとリカじゃねえか。イタリアなんてイタとリアだ。ブラジルはブラとジルだ！」
銀次「いや、それは言葉を半分ずつにしてるだけじゃねえか。でも、英語のＦＡＸなんだぜ。それを読んでもらおうと思って来たんだけど」
兄キ「それがイット・イズ・プロブレム人間なんだ！　大体おめえは、おれがいつも言ってるように、英語の基本がわからねえからそうなるんだ」
銀次「英語の基本？」
兄キ「そうよ。例えば、ドゥ・ユウ・ノウ・ミィ？　って英語があるだろ。これを日本語に直すと、あなたは湯飲みを知っていますかだ」

銀次「ちょっと待ってくれよ。それは、私を知っていますかって意味だろ?」
兄キ「それがジャパニーズ・イングリッシュなんだ。本場のニューヨークの英語はそうじゃねえんだ。あなたは湯飲みを知ってますかになるんだ」
銀次「へー、ホントに?」
兄キ「当たり前だ。それから、アイ・ハブ・ア・ペンって意味は、ハブはペンを持っている、だ」
銀次「え、マジで?」
兄キ「当然よ。それから、ジス・イズ・ア・デスクの意味は、伊豆には机がある、だ」
銀次「え、伊豆には机がある? へえー、知らなかったねえ」
兄キ「それが英語のコツだ。まあ、そのへんを飲み込んで家へ帰って自分でやれ。アダチ・ゴー・ホーム。ジ・エンド。トットと帰れ!」
銀次「兄貴、FAXを読んでくれよ。ちゃんとこうして持ってきたんだから」
兄キ「持ってきた? バカ野郎! どうしてそうおめえはトランジット・パッセンジャーなアカウンタビリティのダスティン・ホフマンなんだよ。ワールド・ワイドなバカだな」
銀次「兄キ、そんなこと言わずに頼むよ。へへへッ、兄キは偉そうなこと言ってるけど、やっぱり英語が読めねえんじゃねえのかい?」
兄キ「バカヤロウ! おれはアメリカじゃマシンガン・イングリッシュって言われてるんだ。たく、しょうがねえエブリボディのナイスバディめ。わかった、読んでやるよ。持ってこい!」

銀次「すいませんね。これなんですけどねえ」
兄キ「これか？　おう、アイシ、アイシ！　へっ、へっ、へっ、簡単な英語じゃねえか」
銀次「そうだろ？」
兄キ「うん、で、どっから来たんだ？」
銀次「だからそこに書いてあるだろ？」
兄キ「でも、聞いた方がベリィ・ファーストだろ」
銀次「何がベリィ・ファーストだよ。それアメリカ人のしんちゃんの友達からなんだ」
兄キ「ウエイツ！　ヒュー・ミニッツ、なんだ？　アメリカ人のしんちゃん？」
銀次「シンプソンって名前だからしんちゃん」
兄キ「それじゃ、シンプソンって言え！　どうしておめえはワンス・アポン・ア・タイムな野郎なんだ」
銀次「そのしんちゃんは日本語ペラペラだけど、しんちゃんの友達は日本語が全然駄目！　その友達から英語のＦＡＸがうちに届いて、私は驚きを隠せない」
兄キ「何が驚きを隠せないだ。それを先に言えよ。ホントに……、だけど何も驚くことはオール・オア・ナッシング、２ナッシング・ノーボールじゃねえか」
銀次「だけど、全部英語のＦＡＸは驚くぜ。それより、ＦＡＸ読んでくれよ」
兄キ「こっちへ貸せ！　仕方がねえ。じゃあ、リーディングしてやろう。いくぞ！　プリーズ！

エ――――――――」
銀次「ちょっと待ってよ。なんで英語のＦＡＸでエーがつくんだよ」
兄キ「うるさい！　この足立のスポークスマンはな、エーは世界共通なんだ。東洋人も西洋人もアフリカ人も、何か読む時は必ずエーってアット・バットするんだ！」
銀次「へー、そうかね」
兄キ「当たり前だ！」
銀次「じゃあ、読んで下さい」
兄キ「エ――――――、風薫る五月も過ぎ、庭の木蓮も散り、紫陽花がほころび始め、また今年も鬱陶しい梅雨の季節がやってきましたね」
銀次「ちょっと、なんだい、その庭の木蓮って？　そりゃ、ＮＨＫラジオの『ひるのいこい』かい？」
兄キ「やかましい！　ＦＡＸの内容だよ」
銀次「うそだよ。アメリカ人がそんな庭の木蓮がなんて書かねえよ。そんなアホな」
兄キ「うるさい！　だからおめえはバカのテラ・バイトだっつうんだよ。いいか？　おれはワールド・イングリシュのグランド・マスターって言われているんだ。おれのやってるのは超訳。翻訳じゃねえ。文章の雰囲気を伝えるため、翻訳を超えた超訳なんだ！」
銀次「ホントに？」

兄キ「オフのコースよ」

銀次「じゃあ、英語ではなんて書いてあるの？　英語を読んでくれよ」

兄キ「何？　英語を読めだ？　いいよ、読んでやるよ。だけど早いぞ。その上、発音が良すぎてわからねえぞ。いいのか？」

銀次「ぜひ、読んでくれよ」

兄キ「じゃあ、わかった。スペシャル・リーディングしてやろう。いくぞ！　アー、ウーン、アー、ユー、エーオーザー……、グットバイ」

銀次「それじゃあ、グットバイしかわからねえよ。もっとはっきりゆっくり読んでくれよ。へへ、兄キ、ホントは英語が読めねんだろ？」

兄キ「読めねんだろ？　ふざけるな！　いいか、おれはアメリカで三年間、『ニューヨーク・タイムズ』で洟《はな》をかんで、『ワシントン・ポスト』でケツを拭いた男だ！」

銀次「汚ねえ男だなあ」

兄キ「読むぞ。読むから驚くな。いいか、まず最初の文字はデー、デーデーだよ。どうだ、すげえだろ！」

銀次「凄くないよ。ただアルファベットでDって言っただけじゃねえか。じゃ、次の字は？」

兄キ「デーデーデーデーイーイーイーイー、どうだ、二文字も解読できるのは日本じゃおれだけだ！」

銀次「うそだよ。そんな、アルファベットだったら幼稚園の子供だって読めるよ。で、その後は？」
兄キ「イーイーイーイーアーアーアーア――――――」
銀次「なんか歯に挟まっているんじゃねえのかい」
兄キ「やかましい！　読んでんだよ。デーデーデーイーイーイーエーエーアーアール。どうだ、スラスラ読めたろ？」
銀次「どこがスラスラだよ。で、兄キ、それはなんて意味なんだよ」
兄キ「だから、デーイーエーアールエムワイ・エフエフ。Ｆ１グランプリの季節になりましたねえ」
銀次「何言ってんだよ。一番はじめはＤｅａｒ　Ｍｙ　Ｆｒｉｅｎｄ。親愛なる友人だろ」
兄キ「そう、そうなんだ。そうやって読むんだ。で、あとはなんだ？」
銀次「いや、それを聞きに来てんだよ。そこまではわかるんだけどね。そのあとさっぱりわからねえんだ。おれ、急いでるんだよ。これから夕方の六時までに成田に行かなきゃいけないんだから」
兄キ「成田？　なんで？」
銀次「実は日本語のわかる方のしんちゃんから昨日電話があってさ、その友達が香港に行った帰りに成田経由でアメリカに帰るけど、日本の民芸品がほしい。すまないが成田まで届けてくれ。詳しいことは本人がＦＡＸを送るからと電話があった」

兄キ「ホントおめえはバカ野郎・スピリッツの塊だな。なぜそれを先に言わねえんだ。それを知ってりゃ直ぐ訳せるんだ」
銀次「どうして？」
兄キ「どーしてもこーしてもねえんだよ。じゃあ、英語抜きで直ぐ訳そう。いくぞ！」
銀次「なんか急に元気になっちゃったねえ。じゃあ、お願いします」
兄キ「エー、ヘイ、浅草の銀ちゃん。ちわ〜す！」
銀次「どういうＦＡＸなんだよ、そのちわ〜すって！」
兄キ「だからこれは超訳！　超訳なんだよ」
銀次「で、その民芸品はなんだと書いてあるんで？」
兄キ「だから、例のアレ、ナニだよ、と書いてある」
銀次「だけど、しんちゃんからの電話じゃ、その民芸品がなんだかちゃんとＦＡＸに書くって言ってたよ。その民芸品ってなんです？」
兄キ「エー、例の民芸品は１．こけし、２．ハゴ板、３．双六、４．箱根細工のうち、どれでしょうか？」
銀次「それじゃあクイズだよ。その民芸品ってなんなんだよ？」
兄キ「アレはアレだ。思い出せ、このバカ」
銀次「このバカって酷いな。あ、そうか、そういえば天狗のお面が好きだった」

兄キ「それだ、それ！　テング・フェースってある。いいか？　ア――――、テング・フェース・アイ・ウオント！　と書いてある」
銀次「ホントかい？　なんかうそっぽいなあ。う〜ん、だけどなあ」
兄キ「だけどなんだよ？」
銀次「いやね、でもホントにほしいのはテングよりゲタ！　ゲタがほしいって言ってましたけどねえ」
兄キ「それを先に言え。手後れになるじゃねえか。あ、大丈夫だ。ちゃんと書いてある。エ――――、テング・フェース・アイ・ウオント！　バット、ほら、バットがついてる。アイ・ウオント！　一番アイ・ウオントはゲタ・サンダル！　うんとうんとウオントって書いてある」
銀次「なんだかよくわからないよ。ホントかよ。じゃあ、どうしてはなからゲタがわからなかったんだよ」
兄キ「それが、天狗のTがあんまりの大文字で、その陰で下駄が見えなかった」
銀次「冗談言っちゃあいけねえ」

おなじみの手紙無筆U.S.A.というお笑いで。

ファンの皆さま、関係者の皆さま

円丈を長きに渡り応援して下さり、ありがとうございました。
『円丈落語全集3』の出版の話が出ていたのに、志半ばで亡くなってしまいました。
この度、皆様のご協力がありまして、無事に出版されることとなりました。
今後とも、円丈の遺した作品を楽しんでください。
また、円丈のお弟子さんたちのことも、末永くよろしくお願いいたします。

妻　大角　ユリ子

足立区保木間の都営アパートにて、妻ユリ子と

解説

杉江松恋

三遊亭円丈は落語を創ることに徹した人だった。

演じるだけではなく、創る。台本も含め、すべて自分が作り直す。

その落語人生を眺めると、その首尾一貫ぶりに改めて驚嘆させられる。

本書を購入いただいた方のために、今回三遊亭円丈の著作と、原稿を執筆したり、関連記事が掲載されたりした紙誌の一覧を管見に触れた範囲で作成してみた。不完全なものだが、円丈研究の一助に使ってもらえればと思う。

一九四四年十二月十日生まれの円丈が初めて落語を喋ってみたのは小学四年生のときで、ラジオで聞いたものを適当につなげた内容だった。中学生で落語全集を覚えてやるようになり、高校で『圓生全集』に出会う。一九六一年、高校二年生のときに書いた『宇宙人現る』をNHK落語台本コンクールに応募し、翌年落選が判明する。ここが新作執筆の始まりだ。

一九六四年十二月三日に六代目三遊亭圓生に入門、三遊亭ぬう生として前座修業に入る。前座時代に唯一書いた新作は『核戦争』（一九六八年）で、本人曰く、これは落語というよりも漫談であるという。二ツ目時代に日立家電の落語サークルに講師として出演しており、一九七一年にその会で『あるスーパーの崩壊』をネタおろしする。一九七三年から「落語アドベンチャー」会を開始し、『ヒモ』『ムケトラン党』などを演じた。ここが新作落語家としての出発点だろう。一九七四年六月、最初期の代表作である『競走馬イッソー』を初演している。寄席でかけたら古今亭志ん朝に受け、祝儀をくれたという逸話が残る噺である。

円丈が六代目圓生に弟子入りしたのは、新作をやるために、しっかりとした芸の基本を古典で身に付ける必要があると考えたためだ。本人曰く、新作落語で一世を風靡した五代目柳家つばめを紹介してくれる人があったが、それを断って圓生を選んだのだという（『御乱心！』）。圓生はその期待に応えてくれる師匠だった。

――だけど駕籠を担ぐとこなどがまずいと、箒を担がされて真似をしてみろというン。で、今度はそれを座ってやってみろというンだよ。そうするとどこが悪かったか判るだろうってね。割りと理詰めな稽古なんだよ。（「落語界」十一号　一九七九年八月）

「噺家に弟子入りするときに、その師匠の芸に惚れるということはよくないことだと思ってる」と円丈は言っている（『ザ・前座修業』）。惚れてしまうと師匠を超えられなくなってしまうためだ。円丈が他の落語家と大きく異なる点は、ここではないかと思われる。ここで言う「芸」とは人柄も含めた芸人としてのありようということだろう。その意味では円丈は、六代目圓生の「芸」ではなく「技巧」に惚れて入門したのである。だからこそ一九八一年の『御乱心！』では、先年の圓生脱退顛末を厳しく批判し、「円生のバカヤロ――――ッ！」（原文ママ）という悲痛な叫びで自らの思いを記している。これを「話題のわりにインパクトのない私怨」と決めつけた「朝日ジャーナル」はあまりにも浅薄だった。師匠という存在に何を見ているか、弟子である自分は何を受け継ぐべきか、という円丈の思いをまったく汲み取れていない。

ぬう生としての二ツ目時代後期から円丈は新作落語への傾倒を明らかにし、まず、一九七五年から「民族芸能を守る会」に定期出演し始める。寄席以外の重要な拠点となった会だ。一九七六年には前出の日立家電の落語会を継続しながら、新作落語作家養成のための「日本ボールペンクラブ」を結成、発明会館でその発表会を始める。これが「実験落語会」に発展するのである。一九七七年四月二十一日の第一回に円丈が掛けたのは菊地１０４０作『下町せんべい』だった。現在でも演じる人のいる定着した新作だ。

一九七八年三月下席において真打昇進し、三遊亭円丈を襲名する。悪夢の落語協会分裂、三遊協会設立という騒動が起きるのは同五月のことだ。円丈は師に従ってやむなく落語協会を脱退、圓生没後の一九八〇年二月一日にようやく復帰が叶う。この間に、円丈は新たな活動の場を得ていた。発明会館を根城にしていた実験落語会が、一九七八年八月から渋谷ジァン・ジァンに場所を移して定期開催されるようになったのだ。池袋演芸場余一会やこのジァン・ジァン実験落語会、民族芸能を守る会などを主舞台として、師・圓生の知名度に頼らない活動を円丈は繰り広げるようになる。

一九八〇年は円丈にとって節目の年だった。協会に復帰したばかりの二月に『グリコ少年』を初披露、フジテレビ『花王名人劇場』プロデューサーであった澤田隆治の関心を惹くことになり、出演して大きな話題を呼ぶのである。同番組では前年にネタおろしをしていた新作を『パニックイン落語界'80』として再演、これは番組のサブタイトルにまで採用された。

もう一つ忘れてはいけないのは、池袋演芸場の五月下席でトリをとった際、連続十日間で毎日三題噺を作るという荒行に挑戦したことだ。「前日客席から題をもらい翌日二十分以上の噺にする（注：初日のみ十八日の昼席でお題をもらった）」「毎日星取表を作り、つまらなかった場合は黒星となる」「黒星の日は演芸場のおばちゃんに代わって客の下足を揃える」「黒星が負け越したら協会に進退伺いを出す」「もし落語が作れなかったら高座で首をつる」という洒落のきいた勝負の会である。それぞれのお題と噺、結果を記す。

二十一日『北京の春』（総選挙・北京の売春・奴凧）○
二十二日『インドの落日』（雨夜の品定め・インドの落日・死体置場）○
二十三日『ブラック・ランニング』（ブラックボール・ディスコクイーン・ダービー）○
二十四日『いけねえおじさん』（圓生の死・大人のおもちゃ・のりにげ）○
二十五日『名古屋うどん殺人事件』（名古屋うどん・ビックリハウス・あわおどり）●
二十六日『影山』（葬式の痴漢・イランの石油・禿武者）○
二十七日『白い螺旋階段』（らせん階段・ピップエレキバン・ミミズの行倒れ）○
二十八日『ブラック・ザウルス』（明日への全身・怪電波・子持ちの宝塚）○

二十九日『まんが家ストーリー』（カール・マルクスへの手紙・ふるさとの母、落語オリンピック・両面テープ）○

三十日『パタパタパタ』（乙女の涙・中古車センター・学徒動員・チャンピオン）○

五日目だけが黒星、九日目と楽日のみ四題噺となった。十作の中には掛け捨ての噺もあるが、代表作の一つと言われるようになった『インドの落日』や、『円丈落語全集』にも採られた『白い螺旋階段』（1）『ブラック・ザウルス』（3）、本書収載の『イタチの留吉』に登場するキャラクターの原型を作った『いけねえおじさん』などの佳作も含まれる。それを考えると即興性と共に品質も高い会だったと言えるだろう。

後にはボクシングに挑戦したり、高座の上でパソコンを操作する落語を披露したりすることもあった円丈は、奇を衒うことを好んだ人として見なされがちだ。だが、その見方は一面的なものだと思う。単に努力家だっただけなのだ。三遊亭圓生や古今亭志ん生のような資質の持ち主なら、古典落語に集中すればいいが、あいにく自分はそうした天才ではない。ならば可能な限りの手を尽くしてお客を楽しませることを考えなければならない。その表れが三題噺であり、各種の試みだったように思う。円丈は飽きっぽい性格と自分を指して発言することがよくあったが、それは芸人の含羞が言わせたものであろう。飽きっぽい性格の人が、一つの落語を何度も改作してその時代に合ったものにしていくことはできないのではないか。『グリコ少年』などは、私が聴いたことのあるものだけでも三つはバージョンがある。

円丈の落語に対する姿勢を端的に示すのが、一九八一年二月に刊行された「落語界」二十九号の「三平が死んだとはなんだ！」という文章だ。この号と次の三十号には大野桂による「三遊亭円丈論」が掲載されていて必読なのだが、とにかく「三平が死んだとはなんだ！」にはぜひ目を通していただきたい。

これには前段があり「話の特集」一九八〇年十二月号に演劇作家の大西信行が「三平が死んだ」という文章を書いたのである。その内容が林家三平の評価を不当に貶めるものであると激昂、大西に対して喧嘩状を叩きつける意図で「落語界」に寄稿したのが円丈だった。「現在の落語界をよく知らないくせに古いものさしで図ろうとするな」ということに論旨は尽き、第一級のエンターテイナーとして三平を評価する文章に熱い気持ちがほとばしる。長くなるが、二ヶ所を引用しておきたい。

——三平師は、三歳から八十歳のおばァちゃんにまで笑って欲しかったんだ。そうなれば、一番下の底辺にレベルを合わせる以外に方法があったろうか。それは、三平師の笑いに対する認識が低いのではなく、そうするしかなかったからだ。それは、三平師が、いかにメジャーであったかの証明だと思う。それに対し、僕の場合は、三歳〜八十歳までに笑わせようとは思ってないし、それをすることによって作品のボルテージが下がることも知ってる。結局、ある限られた客層を相手にこれからもやっていくと思う。それは、ボクがマイナーだからだと思う。三平師が、ドリフなら、僕は、東京ヴォードビル！（後略）

後半が、三遊亭円丈はマイナーという自己認識の表明であることに注目されたい。

——僕は、師・円生と三平師の評価は全く同等です。きっと円生ファンから、ブーイングが出そうだけど、師・円生と三平師は全ての面で正反対でした。師・円生は、高座にシメナワを張り、一切客との妥協を拒否した末に生まれた芸！　一方、三平師はそのシメナワを自分で取り、徹底的に客との一体感を押し進めた芸です。（後略）

生前の圓生が「寄席にはああいうバケモノも必要でゲス」という独特の言い方で人気者としての三平を認めていたことは知られている。芸術至上主義だけの人ではなかったのだ。

この文章を寄稿したときの円丈は『グリコ少年』などのヒットにより、若手真打の中でも最注目株と言える存在になっていた。しかし落語協会における若手真打のスターは、円丈復帰後の一九八〇年五月に三十六人抜きという抜擢真打となった春風亭小朝である。早々とテレビのレギュラーも持ち、まぎれもなく人気者になっていた。そうした存在に自分はなれない、いや向いていないという思いは円丈の中にあったのではないか。だからこそ、何をしてでも笑わせてやる人気者としての林家三平が眩しい存在に見えたのだ。

後出のリストをご覧いただきたい。円丈のメディアへの露出は一九八〇年の『花王名人劇場』によって一気に増えていく。「週刊サンケイ」や「宝石」といった一般誌で新作落語の連載を始めていることにも注目したい。両誌の連載は長く続いた。特に「週刊サンケイ」でのそれは、二年以上に及んでいる。落語台本を読み物の形で発表していくことは、円丈にとって創作力を養うためのいい練習になったはずだ。最初の単著である『円丈18ラウンド・デスマッチ』はその連載から抜粋した傑作選である。

最初の著書である『三遊亭円丈・実験落語の世界』は、題名通り実験落語に関する原稿を集めたムックである。巻頭に椎名誠が対談相手として登場している。椎名は自身の『いまこの人が好きだ』(一九八三年刊行、現・新潮文庫)という人物ルポルタージュでも円丈を取り上げており(連載時の題名は「今月の絶賛拍手パチパチニンゲン」)、関心を持っていた対象だった。その椎名がデビュー当時につけられた呼称の一つが〈昭和軽薄体〉である。これは嵐山光三郎のABC文体あたりを起点とする伝統的な日本語を破壊する文章のことで、一九八〇年代前半の浮かれた空気を象徴する、サブカルチャー的所産であった。椎名自身はこれをたいへんに嫌がっていたのだが、実は円丈も〈昭和軽薄派〉などと呼ばれたことがある。サブカルチャーのスターとして奉ろうという動きが当時は確実にあったのだ。雑誌「ビックリハウス」にも円丈はたびたび登場し、読者投稿企画として人気のあった「エンピツ賞」の審査員を務めたこともある。

以降の円丈は節目で自ら話題を振りまいてメディアを騒がすことになるのだが、その最たるものが一九八六年の『御乱心!』刊行だった。落語界に関するものだと、タブーとされてきた同業者への評価を書いて一部から反発を受けた『落語家の通信簿』(二〇一三年)もおおいに注目された著書である。また本にはなっていないが、二〇一〇年には五代目円楽一門会の三遊亭鳳楽が圓生襲名を宣言した際に待ったをかけ、どちらが七代目にふさわしいかを公開で争うという出来事もあった。この一件は途中から三遊亭円窓が名乗りを上げて三つ巴になったことで有耶無耶のまま終わってしまったが、途中経過をルポルタージュの形で残しておいてもらえなかったことが残念である。また、大きな話題にこそならなかったが、二〇〇九年には「これは円丈の遺言である。ここに生前贈与する！」と帯に大書された『ろんだいえん』が刊行されている。新作落語向けに初めて書かれた創作指南書であり、長く読み継がれるべき価値のある一冊だ。

以上は落語界に関する話題だ。それ以外でも名古屋人を茶化すエッセイ『雁道』（一九八八年）と続篇の『ファイナル雁道』（一九九二年）、長年にわたる民俗学的研究を一冊にまとめた『THE　狛犬！コレクション』（一九九五年）などは一般メディアでも多く取り上げられた。名古屋人いじりというネタは一九七〇年代のタモリに先例があるが、『雁道』で繰り広げられるのは名古屋人である円丈の自虐的笑いである。円丈にはそういうところがあり、流行とは一線を画したタイミングでそれをギャグにするのである。ネクラを自称し始めた時期も明らかにできなかったが、一般のメディアでこの言葉が確信犯的に使われた初めは、さくまあきら・堀井雄二らがライター時代に共著した『オレたちネクラ族』（一九八二年。山手書房）が出たあたりではないかと思われる。逆に『THE　狛犬！コレクション』はみうらじゅんの「マイブーム」が流行語化した後なら、絶対にそのフレーズを使って宣伝されていたことだろう。流行語大賞を受賞したのが一九九七年、この本が出たのは一九九五年だった。

著作関連ではもう一つ触れなければならないことがある。一九八〇年代の売り出し期が一段落するころから円丈はパソコンに深く傾倒し、趣味としてもロールプレイングなどを中心としたゲームを愛好するようになる。一九九三年の『ハマッた！』は「ＰＯＰＣＯＭ」などの連載を中心としたゲームのレビュー本、同時に刊行された『サバッシュⅡ公式ガイドブック』は、円丈が原作者であるコンピュータゲームの攻略本である。かなり早い段階で円丈はパソコンによる執筆を開始しており、それゆえに新作台本が整理された形で残っているという一面もある。当時のパソコンやゲーム関連愛好者の中には、三遊亭円丈の落語はまったく聞いたことがないが、その名前だけは知っているという人も少なくないはずだ。

前出の『ろんだいえん』には、ギャグセンスを保つためにミーハーであれ、とする文章が複数ある。「新作をやり続けるというのは、新作になりそうな情報の収集をし、その情報の中からネタを考え、作品をしていくこと」だから「どれだけ新鮮で面白い情報を集めるかということが大事になる」。「今の流行、映画、音楽にまったく何の関心も持たな」い「ただの小言ジジイ」になることを防ぐために「新しいものに何でも飛びついてしまう、精神的ミーハーになることが必要なのだ」と説くのだ。これを書いたとき円丈は六十四歳。感性が衰えゆく自分を鞭打つ意図もあってこの文章は書いたはずだ。自身が天才ではなく、どちらかといえば凡人であるという認識が円丈にはあったのではないか。それゆえ肚を括る必要があったのだ。

七十代に入ってからの円丈は、協力者もあって『円丈落語全集』を形にすることに熱意を燃やしていた。誰しも功成り遂げれば自分がしてきたことを形に残したくなるものだが、円丈は、新作落語をさらに改善していくための研究材料として自作の台本を供する気持ちがあったように思う。身体の衰えが顕著になってきたとき、演者としての自分が技巧を極めることはそれ以上難しくなった。であれば別の形で落語の未来を創りたい。そう考えたのではないか。

本稿を演芸関係者ではない杉江が書いていることに疑問を持たれた方も多いのではないかと思う。その経緯を書いて解説の締めくくりとしたい。

ここからは敬称をつけて書くことにする。

二〇一九年十二月二十日に渋谷で開催された「実験落語ｎｅｏ」では、『パニックイン落語界'79』がネタおろしされてからちょうど四十年ということで、公演中に『花王名人劇場』の映像を流し、当時の思い出について円丈さんと林家彦いちさんに対談してもらおうという企画があった。その司会を私が任されたのである。

円丈さんとお会いするのはそのときが初めて。楽屋でご挨拶するとき、自分がどういう人間かわかってもらおうと思って私は、柳家つばめ『私は栄ちゃんと呼ばれたい』などの新作落語集を大量に持って伺った。それを見て円丈さんが「あなたはこういう新作が好きなんですか」と不思議そうな顔をされていたのを覚えている。なぜそんなことをしたのかといえば、千載一遇の機会を利用して、中断していた『円丈落語全集』の再開を打診できないかという目論見があったのだ。奇遇なことに、本書の編集を担当している伊藤一樹も同じことを考えて楽屋を訪問してきた。その日の楽屋には、『花王名人劇場』のプロデューサーであった澤田隆治さんも訪ねてこられ、十二月が誕生日の円丈さんのためにサプライズでバースデーケーキが準備されるなど、楽しい空間だった。

それからほどなくして、実際に『円丈落語全集3』刊行の相談をさせてもらうべく、円丈さんと伊藤一樹の三人でお会いした。この企画はそこから動き出している。残念ながら円丈さんの生前には間に合わなかったが、無事に形にすることはできた。

打ち合わせの際、円丈さんに「ぜひ実現したいこと」というのを三つ伺った。それを書いてしまおうと思う。一つは『圓生百席』に倣って『円丈落語全集』も百の噺を収録したいということ。二つめは、CDの「三遊亭円丈落語コレクション」に収録されているある噺を録音しなおしたいということ。三つめは、品切れ状態になっている『ろんだいえん』を新装版で出し直したいということだった。

残念ながら、二つめと三つめは私の手に余った。CDの録音を新しくしたいというのは、その噺についているBGMがオリジナルのものとは違うからである。口演時は別の音楽だったのだ。これは版権の問題でちょっと難しい。そして『ろんだいえん』の新装版は、別の出版社に提案したのだが、頓挫してしまったのである。しかしまだ諦めていない。

残る一つめは、できるのではないか。本書に続けて『円丈落語全集』が刊行され、百席に届く日を私もぜひ見てみたい。新作落語の未来を切り拓いてくれた円丈さんへの、それがせめてもの恩返しである。

三遊亭円丈ほぼ完全書誌リスト

一九七六年

「落語界」深川書房、八月号　連載対談 修行仲間（その6）身分の差は激しかった！　三遊亭ぬう生、柳家小三太

一九七七年

「アサヒグラフ」朝日新聞社、六月二十四日号　特集・落語　新作落語に意欲を燃やす二ツ目・三遊亭ぬう生

一九七八年

「東京かわら版」東京かわら版、三月号　真打昇進インタビュー

一九七九年

「奇想天外」奇想天外社、二月号　ナンセンス・オブ・ワンダーランド　実験落語・三遊亭圓丈（森卓也）／「落語界」深川書房、十一月号　特別企画輝け！新作落語の星～その1　対談（三遊亭円丈・大野桂）・円丈「実験落語」パニック・イン・落語界'79

一九八〇年

「落としばな誌」一月二十七日号　なぜ今、新作なのか／「落語界」深川書房、二月号　特別企画輝け！新作落語の星～その2　対談（三遊亭円丈・大野桂）・円丈「実験落語」ぺたりこん／「週刊朝日」朝日新聞社、三月十四日号　山本益博の落語Ｔｏｄａｙ「円丈」／「週刊サンケイ」扶桑社、四月三日号　新作200行落語『世界噺家大戦争』　※連載開始。円丈、桂京丸、夢月亭歌麿、桂米助による落語読み切り。挿画：古川タク／「週刊サンケイ」五月一日号　新作200行落語『くたばれ！チップス・エイジ』／「週刊サンケイ」五月二十九日号　新作200行落語『世界は平和を待っている』／「週刊文春」文藝春秋、六月五日　ぴいぷる　ＳＦ調の新作落語三題噺にチャレンジ／「民族芸能」六月十九日発行　三題噺十番勝負ルポ（渡辺敏正）／「週刊プレイボーイ」集英社、六月二十四日号　すべての落語は〝化石〟になるか⁉　ニュー・ウェイブ落語会でキミは笑えるか！／

「週刊サンケイ」六月二十六日号　新作200行落語『パタパタパタ』／「週刊サンケイ」七月二十四日号　新作200行落語『欠食児童へのすすめ』／「週刊サンケイ」八月二十一日号　新作200行落語『真夏の決闘』／「週刊明星」集英社、八月二十四日　ニュース最前線⑤新作落語・三遊亭円丈の〝一席入魂〟人生／「クロワッサン」平凡出版、八月二十五日号　あの男に聞きたい⑬三遊亭円丈さんと「グリコ」の関係／「週刊サンケイ」九月十八日号　新作200行落語『三十六年銅貨強奪事件』／「週刊サンケイ」十月十六日号　新作200行落語『正常位撲滅運動』／「宝石」光文社、十一月号　なんせんす寄席インポ・タレパイは豊作の前兆／「週刊サンケイ」十一月十三日号　新作200行落語『夢地獄』／「宝石」十二月号　三遊亭円丈の社会科落語（1）『悲しみは埼玉へ向けて』　※連載開始。一九八三年七月号、(32)『痴漢白書』で連載終了。掲載演目調査中／「週刊サンケイ」十二月十日号　新作200行落語『コロッケは虹の彼方に！』／「週刊現代」講談社、十二月十一日号　データバンク・にっぽん人「新作落語の鬼才が語る噺家15年」／「週刊サンケイ」十二月十一日号　人物往来　シンセサイザーで高座に　昭和軽薄派・三遊亭円丈の実験／「週刊ポスト」小学館、十二月十二日　人間探険　三遊亭円丈

一九八一年

「小説新潮」新潮社、一月号　椎名誠　今月の絶賛拍手パチパチニンゲン　三遊亭円丈／「週刊サンケイ」一月二十二日号　新作200行落語『八一年はバラ色だった』／「落語界」二月号　現代落語家論　三遊亭円丈・PART1（大野桂）、三平が死んだとはなんだ！　三遊亭円丈／「アサヒ芸能」徳間書店、二月五日号　ツービートの笑撃ギャグマッチ（ツービートとの対談）／「週刊サンケイ」二月十九日号　新作200行落語『翔ンデル〝ジャンボ〟ハ飛ンデナイ』／「週刊ポスト」二月二七日号　われら釣り天狗の戦果報告・三遊亭円丈／「ビックリハウス」パルコ出版、二月号　ひとつの言葉から　ポツリポツリ　三遊亭円丈／「週刊サンケイ」三月十九日号　新作200行落語『燃えよジジ・ババ！』／「女性自身」光文社、三月一九日号　ビニール本から○○まで　若手落語家5人がポルノ大会〝実験落語の会〟三遊亭円丈、夢月亭歌麿、柳家小ゑんほか／「小説新潮」四月号　おたのしみ新作落語『ザ・マンザイ革命』／「東京かわら版」四月号　インタビュー（聞き手：渡辺敏正）

／「週刊サンケイ」四月十六日号　新作２００行落語『発明原理』／「落語」弘文館、五月号　漫才ブームの流れを変える落語界のニューウェーブ枝雀・円丈・小朝／「落語界」五月号　現代落語家論　三遊亭円丈・ＰＡＲＴ２（大野桂）／「週刊プレイボーイ」五月十二日号　ＹＯＵＮＧ　ＲＥＰＯＲＴ　円丈師匠のショッキング独演会／「週刊サンケイ」五月十四日号　新作２００行落語『メカニカル・ボーイ』／「週刊リンケイ」五月十九日号　新作２００行落語大トリ・四人袴　座談会　三遊亭圓丈、桂京丸、夢月亭歌麿、桂米助　※連載終了／「女性自身」五月二八日号　写真館・お笑いタレントの学生時代　ぼくがマジメだったころ！／「週刊サンケイ」五月二八日号　おまけ付き落語天国『高座殺人事件』　※連載開始。挿画：古川タク、千葉督太郎／「週刊現代」六月四日号　松島トモ子・中尾ミエ・沢田雅美「私の子宮がアクビしている」（円丈司会の座談会）／「週刊サンケイ」六月四日号　おまけ付き落語天国『ベビー・ホテル』／「週刊平凡」平凡出版、六月四日号　落語界の異才・三遊亭円丈　燃える36歳／「週刊サンケイ」六月十一日号　おまけ付き落語天国『長すぎた皮』／「週刊サンケイ」六月十八日号　おまけ付き落語天国『ウルトラの星』／「週刊サンケイ」六月二十五日号　おまけ付き落語天国『ギロチン２００２』／「潮」潮出版社、七月号　三遊亭円丈師匠のいう〝嘆き〟週刊平凡の東武伊勢崎線／「週刊サンケイ」七月二日号　おまけ付き落語天国『寿命の縮む話』／「週刊ポスト」七月三日号　ハワイ・カップル御招待　有名人麻雀大会／「週刊サンケイ」七月九日号　おまけ付き落語天国『デジタル南十字星』／「週刊サンケイ」七月十六日号　おまけ付き落語天国『ブスが騒ぐ日』／「週刊サンケイ」七月二十三日号　おまけ付き落語天国『〝徳川家〟噂の真相』／「週刊サンケイ」七月三十日号　おまけ付き落語天国『東京サバイバルボーイ』／「小説ＣＬＵＢ」桃園書房、八月号　冒険落語『スペース・トラブル・トラベル』／「週刊リンケイ」八月六日号　おまけ付き落語天国『金魚一〇〇匹に聞きました』／「週刊サンケイ」八月十三日号　おまけ付き落語天国『江戸ヒーロー大集合』／「週刊サンケイ」八月二十日号　おまけ付き落語天国『精子の反乱』／「週刊サンケイ」八月二十七日号　おまけ付き落語天国『より美しくより強くよりアホらしく！』／**『三遊亭円丈・実験落語の世界（笑撃ムック１）』企画集団落語王・編　教育出版センター　九月**／「週刊サンケイ」九月三日号　おまけ付き落語天国『三ケタの母』／「週刊サンケイ」九月十日号　おまけ付き落語天国『陰毛大混戦』／「平凡パンチ」平凡出版、九月十四日号　21世紀落語の旗手　三遊亭円丈／「週刊サンケイ」九月十七日号　おまけ付き落語天国『正しいギャラの払い方』／「週刊平凡」九月十七日号　おしゃべりジャーナル　おかしなCMで大好評、三遊亭円丈／「週刊サンケイ」九月二十四日号　おまけ付き落語天国『遥かなるポルノ自販機』／「サンデー毎日」毎日新聞社、九月二十七日号　テレビ最前線　シンセサイザーと共演！噺家のニューパワー三遊亭円丈の「実験落語」／「平凡」平凡出版、十月号　話題のCMタレント　柄本明、石垣恵三郎、三遊亭円丈／「週刊サンケイ」十月一日号　おまけ付き落語天国『フーフってフカシギね！』／「週刊サンケイ」十月八日号　おまけ付き落語天国『地中かいミゼミ』／「週刊サンケイ」十月十五日号　おまけ付き落語天国『アニメ・スーパーヒーロー大全集』／「週刊サンケイ」十月二十二日号　おまけ付き落語天国『あと一分で人類は滅亡します』／「週刊サンケイ」十月二十九日号　おまけ付き落語天国『悪人絶賛拍手パチパチ紙面反対！』／**『円丈18ラウンド・デスマッチ　5段階採点つき（マンボウ・ブックス）』立風書房　十一月**／「週刊サンケイ」十一月五日号　おまけ付き落語天国『幻の名古屋オリンピック』／「週刊サンケイ」十一月十二日号　おまけ付き落語天国『科学少年』／「週刊サンケイ」十一月十九日号　おまけ付き落語天国『今週の日本占食術』／「週刊ポスト」十一月二十日号　男の詩／「週刊サンケイ」十一月二十六日号　おまけ付き落語天国『テクノロジー未来史』／「週刊サンケイ」十二月三日号　おまけ付き落語天国『圓丈あの世体験記』／週刊サンケイ」十二月十日号　おまけ付き落語天国『釣りバカVSトルコバカ！』／「週刊サンケイ」十二月十七日号　おまけ付き落語天国『ズブズブズブ…』／「週刊サンケイ」十二月二十四日号　おまけ付き落語天国『下積み記念日』／「週刊サンケイ」十二月二十一日号　おまけ付き落語天国『八二年歌謡史』

一九八二年

「週刊サンケイ」一月七日・十四日合併号　おまけ付き落語天国『正月嫌いな人のために！』／「週刊大衆」双葉社、一月十一日号　小松政夫、三遊亭円丈、九十九一が伝授する新年大爆笑！隠し芸大会／「週刊サンケイ」一月二十一日号　おまけ付き落語天国『新春・落語クイズ』／「週刊プレイボーイ」一月二十六日号　The Music　三遊亭円丈、NHKへの反撃なるか⁉／「週刊サンケイ」一月二十八日号　おまけ付き落語天国『街相占い』／『データ・バンクにっぽん人　53人が語る身上調書』現代書林、一月（インタビュー所収）／「落語界」二月号　師匠と語ろう　三遊亭円丈／「ｗｉｔｈ」講談社、二月号　私たちの新婚時代　三遊亭円丈・ユリ子（ユリ子夫人との対談）／「週刊サンケイ」二月四日号　おまけ付き落語天国『噺家暴走族』／「週刊宝石」光文社、二月六日　人物日本列島（16）奇抜とペーソスで売りまくる新作落語家、三遊亭円丈／「週刊サンケイ」二月十一日号　おまけ付き落語天国『予言者』／「週刊サンケイ」二月十八日号　おまけ付き落語天国『ビゲンおばさん』／「週刊サンケイ」二月二十五日号　おまけ付き落語天国『一流とは！』／「週刊サンケイ」三月四日号おまけ付き落語天国『ヨーロッパ人のケチ！』／「週刊サンケイ」三月十一日号　おまけ付き落語天国『ビジネス書』／「週刊サンケイ」三月十八日号　おまけ付き落語天国『ミゾの浅吉』／「週刊サンケイ」三月二十五日おまけ付き落語天国『確定ヤクザ申告』／「ＭＯＲＥ」集英社、四月号　ＥＶＥＮＴ「落語」というジャンルにおさまりきらない三遊亭円丈の実験落語／「婦人生活」婦人生活社、四月号　よそのダンナさま　三遊亭円丈／「小説新潮」四月号　ドッキリ電話／「週刊サンケイ」四月一日号　おまけ付き落語天国『原宿ダサイ化計画』／「週刊ポスト」四月二日号　有名人麻雀大会（580）（和泉宗章・森山周一郎・出光元と）／「週刊サンケイ」四月八日号　おまけ付き落語天国『輝け！　三面スターたち！』／「週刊サンケイ」四月十五日号　おまけ付き落語天国『吉里吉里人の謎』／「週刊サンケイ」四月二十二日号　おまけ付き落語天国『父子手帳』／「週刊サンケイ」四月二十九日号　おまけ付き落語天国『自宅を訪ねて三千里』／「東京かわら版」五月号　インタビュー（聞き手：井上和明）／「週刊サンケイ」五月六日号　おまけ付き落語天国『君こそ、三面スターだ！』／「週刊サンケイ」五月十三日号　おまけ付き落語天国『即身ニュース』／「週刊サンケイ」五月二十日号　おまけ付き落語天国『はげ頭最後の日』／「週刊サンケイ」五月二十七日号　おまけ付き落語天国『落語は爆発だ！』／「スコラ」（詳細連載期間不明）　スコラ・スクランブル　三遊亭円丈／「週刊サンケイ」六月十日号　おまけ付き落語天国『東京ＶＳ埼玉』／「週刊サンケイ」六月十七日号　おまけ付き落語天国『噂なんだけどね』／「週刊サンケイ」六月二十四日号　おまけ付き落語天国『バラスク』／「小説新潮」七月号（禁）日記／「ＢＩＧＭＡＮ」世界文化社、七月号　転機　人生を変えるターニングポイント　三遊亭円丈／／「週刊サンケイ」七月一日号　おまけ付き落語天国『サンシャイン心中』　※連載終了／「週刊文春」七月八日号　今週のことば　プロレスをやると思っている／「週刊文春」八月十二日号　イーデス・ハンソン対談（429）新作噺家の過激派　三遊亭円丈「プロレス落語のあとはマイコン落語に挑戦しますゾ」／「主婦の友」主婦の友社、十二月号　私の新婚時代　三遊亭円丈、マイテレビタイム／「オール生活」実業之日本社、十二月号　スペシャルゲスト対談　田原総一朗VS三遊亭円丈〝入り口指向時代〟が終わるとき

一九八三年

「現代」講談社、一月号　私の読書ノート　小説界の発明王を讃える「ポオ小説全集」／「週刊明星」一月十三日号　'83年はちゃめちゃ奇想天外10大ニュースはこれ！／「平凡パンチ」一月十七日号　若手噺家〈やりっ咄〉放談　うちはナミのカミさんじゃないよ　三遊亭円丈（立川談生との対談）／「ビックリハウス」二月号　第15回エンピツ賞座談会（橋本治・火野鉄平と）／「平凡パンチ」二月七日号　SHORT　PUNCH　渡嘉敷に挑戦！円丈師匠の大ギャグ襲／「週刊文春」二月十七日号　ぴーぷる　三遊亭円丈　ボクシング4回戦に出場する／「現代」四月号　異色座談会　日本語よもっと乱れなさい（外山滋比古、糸井重里と）／「女性自身」四月七日号　スター30人、なくて七癖あって…／「ｎｏｎ‐ｎｏ」集英社、四月二十日号　有名人12人の涙の打ち明け咄／「週刊宝石」四月二十九日号　ボクの２０代〝ここだけの話〟／「平凡パンチ」五月二日号　岡崎聡子ＤＥエアロビクスＴＡＬＫ（13）三遊亭円丈／「ａｎ・ａｎ」平凡社、五月六日・十三日合併号　男の生理を知っておきたい／「旅」日本交通公社、五月号　このたびの旅／「週刊平凡」六月十六日・二十三日合併号　オジサンは怒ってるんだゾオ！　三遊亭円丈／「週刊サンケイ」六月二十日号　誌上寄席『オレはパソコン改造人間だぞ』／「週刊ポスト」七月二十九日　５週勝ち抜きハワイ・カップル御招待有名人麻雀大会（646）（小林勝彦、藤岡重慶、綿引勝彦と）／「アサヒグラフ」八月十九日号　わが家の夕めし　三遊亭円丈／「ログイン」アスキー、十一月号　これからはパソコン落語に燃えるんです／**『円丈のまるでせこい回覧板（ＥＳＳＡＹ　ＢＯＯＫＳ）』ＰＨＰ研究所　十一月**／「週刊宝石」十一月四日号　テクノ時代…ノ…笑イ…ニ…挑戦／「婦人公論」中央公論社、十二月号　異性占談　三遊亭円丈　鼻の孔からお金が逃げる（結城モイラとの対談）

一九八四年

「週刊プレイボーイ」一月一日号　「まるでせこい回覧板」書評／「ビックリハウス」一月号　ヴィジュアル・クリーエション最終回　改訂2倍新しい図画工作（エッセイスト選者として）／「婦人生活」婦人生活社、三月号　いつも当然ふだん食（3）三遊亭円丈一家／『快人噺家十五面相』境田昭造　新潮社　七月　実験の魔人　三遊亭円丈／「PENTHOUSE」講談社、八月号　PENTHOUSE　GUYダンス　彼女はわかってくれる　三遊亭円丈と草柳文恵／「週刊現代」十一月十七日号　グラフ〝激〟人間集まれ！「キワモノで勝負だ俺の実験落語」／「婦人倶楽部」講談社、十二月号　告知板　わが家の夫婦ゲンカ白書

一九八五年

「前衛」日本共産党中央委員会、一月号　ずいそう　私の余暇　パソコンまでの道程／「宝石」一月号　随筆　パソコン三昧　実用性ゼロなのに泥沼に入りこむその魅力とは／「平凡パンチ」四月二十二日号　BOOKマイブック　役に立たないのが入門書／「コミックトム」五月号　かっとびショートショート

一九八六年

「主婦の友」四月号　親と子のファミコン攻防戦　私も熱中、子どもも夢中、親子で遊べばファミコンはもっと楽しい／**『御乱心　落語協会分裂と、円生とその弟子たち』主婦の友社　4月**／「週刊文春」四月十七日号　三遊亭円丈『御乱心』の大迫力／「現代」五月号　ゲーム狂いは治らない／「FOCUS」新潮社、五月二日号　笑いの裏と涙と陰謀　8年後の今、円丈が暴露した〝三遊亭お家騒動〟の凄絶／「アサヒ芸能」五月八日号「人望がない」「変節漢だ」三遊亭円丈の「御乱心」で斬りつけられた円楽の「逆襲」／「週刊現代」五月十七日号　三遊亭円丈の猛舌爆撃　圓楽さん、なんで参院選に出ないの？／「週刊大衆」五月十九日号　ワイド　気になるトラブルの行方　おかげで参院選出馬も断念？　三遊亭円丈の著書「御乱心」で暴露された、〝悪役〟三遊亭円楽のツラ〜イ立場／「知識」彩文社、六月号　爆笑座談会　笑いに学ぶ「いじめ」の効用　芸能、マスコミ界こそ過激いじめ社会。その中で逞しく生きる芸人たちの体験告白と教訓（ゆーとぴあ、コント山口君と竹田君、花井伸夫と）／「週刊サンケイ」六月二十六日号　小松みどりのGスポット対談　ボクの出っ歯はオッパイカミカミで

女を泣かせる秘密兵器だ！／「ミュージック・マガジン」ミュージック・マガジン社、七月号　ミニ・レヴューブック『御乱心』（上島敏明による書評）／「ダイヤモンド・ボックス」ダイヤモンド社、七月号　ホンの本音　落語協会分裂騒動って何だったの、知られざるその真相を描く　三遊亭円丈『御乱心』主婦の友社（インタビュー掲載）／「朝日ジャーナル」朝日新聞社、七月十八日号　話題のわりにはインパクトのない私怨書き連ねた三遊亭円丈『御乱心』／「Ｅｍｍａ」文藝春秋、七月二十三日　ＰＥＯＰＬＥ　ＬＡＮＤ　三遊亭円丈　落語界の内幕暴露『御乱心』／「噂の真相」噂の真相、八月号　うわさの人　落語会を斬ったノンフィクション『御乱心』が評判の三遊亭円丈の巻／「小説宝石」光文社、十月号　つれづれエッセイ　わたしを通り過ぎた芸能人／「主婦の友」十二月号　突撃レポーター梨元勝と、落語会の御乱心男・三遊亭円丈が斬る！　'86年、芸能界・御乱心人間総決算／「アサヒ芸能」十二月四日号　激突！　ケンカ対談（10）立川談四楼VS三遊亭円丈「着物姿の新作落語なんて、ボクのスピリッツに合いません！」「大衆に受けなきゃ、おめェの小説なんて屁みてえだ」／『落語文化史　笑いの文化に学ぶ』朝日新聞社編、十二月　若手真打放談会　〝落語小僧〟から、いま真打に（三遊亭円丈、柳家小里ん、古今亭八朝）／『アタシをとるか、ギャグをとるか⁉　お笑いスター、妻たちの大逆襲』高田文夫、日本文芸社、十二月

一九八七年

『黙ってはいられない第二集』新日本出版社　一月（インタビュー所収）／「週刊サンケイ」一月二十二日　初笑い東西噺家三題ばなし（林家こん平、林家木久蔵、桂三枝、月亭八方と）／「週刊宝石」二月二十七日号　ちょっと気になる美人の奥さん　三遊亭円丈夫妻の巻／「ＵＴＡＮ」学習研究社、三月号　人間にんげん人間グラフィティ三遊亭円丈師匠　パソコンと落語の縁は異なもの味なものであります／「社会保険」三月号　とっておきの話（健康と病気）損な家系／「週刊宝石」三月六日号　ＺＩＧ・ＺＡＧ　報道陣しか来なかった⁉　三遊亭円丈のエイズ落語会／「週刊プレイボーイ」三月十日号　パソコン・ファミコンの神がＰＢに舞い降りた！三遊亭円丈の「ドラゴンクエストⅡ」征服日記／「ＤＩＭＥ」小学館、五月七日号　ＰＩＣＫ-ＵＰ　〝売上税〟を高座にかけて大評判！　新作落語で落語界に新風を送り続ける三遊亭円丈／「週刊サンケイ」五月二十八日号　マネー人生　三

遊亭円丈さん　写真館のせがれが高座で成功するまでのピンボケ人生／「小説ＣＬＵＢ」六月号　『犬』／「週刊プレイボーイ」六月十六日　第４回ＷＰＢウィークエンド・パーティーご報告　ゲスト・三遊亭円丈師匠　このままじゃ、ファミコンはダメになるゾォーッ！（ファミコン・ファンとの隅田川屋形船パーティー）／「中央公論」中央公論社、八月号　国際化に向けての３つの提案　三遊亭円丈　アメリカの属国になれ／「サントリークォータリー」サントリー、八月号　ＭＹ　ＢＥＥＲ　ＥＳＳＡＹ　泡一口こぼれ噺／「アサヒ芸能」九月二十四日号　人間スタジアム　三遊亭円丈の新作は名古屋人が卒倒しそうな「雁道」／「アサヒグラフ」十月二日号　ＭＹ　ＲＥ-ＨＯＭＥ　三遊亭円丈　手作りの家と破綻した稽古場のある家／「婦人倶楽部」十一月号　夫婦の履歴書　苦しい日々を支えあって…　三遊亭圓丈・ユリ子　ザリガニで飢えをしのいだ毎日だけど幸せでした／「潮」十二月号　特集・いまなぜか名古屋が気にかかる⁉　ことばはこころ、名古屋弁を忘れるな

一九八八年

「週刊サンケイ」一月七日・十四日合併号　本のプロムナード（小室直樹『大国・日本の崩壊』書評掲載）／『**雁道　名古屋禁断の書**』**海越出版社　二月**／「宝石」三月号　東京おもしろ路線バス旅行のすすめ　東京バス文化万歳同盟名誉会長・三遊亭円丈／『やっとかめ探偵団（光文社文庫）』清水義範　光文社、五月　対談　名古屋弁はきたねゃあねえ（清水義範と）／「週刊プレイボーイ」五月十日　ＮＥＷＳ　ＳＣＲＡＭＢＬＥ　拘禁二法反対を高座で演ずる本音は？　落語界の新左翼⁉円丈師匠、おカミに挑戦⁉／「小説ＣＬＵＢ」五月号　メディア怪人列伝　三遊亭円丈（竹本幹男）／「週刊文春」八月十一日・十八日合併号　ぴーぷる　サバッシュ（パソコンゲーム考案）／「微笑」祥伝社、九月二十四日号　三遊亭円丈が吼える「ドラゴンズ優勝だぎゃあ！　名古屋だぎゃあ！」／「ＳＰＡ！」扶桑社、十月二十日号　勝手にＭＶＰ　呪われた優勝なんて冗談じゃない！「アサヒ芸能」十月二十日号　豊丸「超淫らん」10番勝負　高信太郎　三遊亭円丈　祝・中日優勝　熱狂２人が腰を抜かした、爆笑「ポール直撃」の満塁ホーマー！（豊丸、高信太郎との鼎談）／「週刊ポスト」十一月十八日号　黒木香のおスケベ対談72　三遊亭円丈と「パソコン」エッチ談義

一九八九年

「週刊読売」読売新聞社、一月八日・十五日合併号　'89元旦「わたしの1年の計」／「月刊ＰＯＰＣＯＭ」三月号「円丈のジョ～ダンソフト」（後に「円丈のドラゴンスレイヤー」と改題して一九九二年三月号まで連載）／「週刊宝石」七月二〇日号　ＹＹジャーナル　大絶頂時代のあの日々…　僕が「大天狗」だったころ…／「週刊大衆」十月二十三日号　松坂季実子１１０センチぷるりん対談（23）ゲスト・三遊亭円丈「シルバービデオは絶対に売れるよ」／「月刊ブルドッグ」ワールドフォトプレス、十月号　オレの通信簿大公開！

一九九〇年

「週刊文春」二月十五日号　立腹・抱腹／「週刊現代」六月二日号　初夏の週末ファッション入門　８０００円のポロシャツでＯＦＦを着こなす　この赤、ほんとうにボクに似合いますかねぇ～？照れるなぁ…／「アサヒ芸能」六月十四日号　各界豪快有名人の「俺が抱きたいあの女優このタレント」　三遊亭円丈　十朱幸代　着物のスソを割れば白い腿「あ、それだけで昇天しちゃうよ」／「現代」七月号「想い出」紀行（7）幼な友達と巡ったわが〝雁道〟／「週刊現代」八月十八日・二十五日合併号　私の「通信簿」各界有名人が公開／「週刊宝石」十月四日号　僕のアイイスクール　愛知県立熱田高等学校／「小説ＣＬＵＢ」十月号　私のほら一話／「あすの農村」日本共産党中央委員会、十一月号　くたばれ！甘いとうもろこし

一九九一年

「週刊大衆」五月二十七日号　各界有名人が語る思い出のヤクザ映画この１本！／「近代中小企業」中小企業研究会、六月号　ＦＡＣＥ　わが心のことば（15）君は千両役者だよ／「週刊宝石」七月四日号　理不尽な校則　ああ、学生時代　長髪解禁、すかさずオールバックに

一九九二年

「東京かわら版」一月号　インタビュー（聞き手：稲田和浩）／「サライ」小学館、三月五日号　名古屋が生んだ食の知恵　名古屋の食の公式は「Ａ＋Ｂ＝Ｃ」です／「ＷＩＮＤ」名古屋鉄道、七月号　三遊亭円丈の尾張・名古屋のはじまりだ／「週刊文春」九月三日号　芸能耳報　剣と魔法の落語家　三遊亭圓丈／『**ファイナル雁道**』**海越出版社　九月**

一九九三年

「微笑」四月十日号　名古屋式３Ｋ（堅実・倹約・根性）で、不況をエイヤッだぎゃ〜／『**ハマった！　円丈のドラゴンスレイヤー１シュミレーションゲーム編（Ｐｏｐｃｏｍ　Ｂｏｏｋｓ）**』**小学館　五月**／『**サバッシュⅡ公式ガイドブック（Ｐｏｐｃｏｍ　Ｂｏｏｋｓ）**』**（監修）新企画社　五月**／「ＬＢ中洲通信」リンドバーグ、十月五日号　古典落語は邪道だ！　三遊亭円丈インタビュー（聞き手：稲田和浩）／「小説ＣＬＵＢ」十二月号『武蔵のウンコ』

一九九四年

「週刊文春」十月二十日号　見もの聞きもの　テレビ評　久米さん、初心にかえってニュースを楽しんで伝えて

一九九五年

『ＴＨＥ狛犬！コレクション　参道狛犬大図鑑』立風書房　十二月

一九九六年

「ＷＩＮＤ」三月号　三遊亭圓丈の名古屋ばなし／「クロワッサン」マガジンハウス、六月二十五日号　男が、いま、夢中になれること（38）三遊亭円丈さん

一九九七年

「旅」ＪＴＢ、三月号　逸品探しの小さな旅　旅先で見つけた〝私の〟逸品　狛犬／「ＳＥＧＡ　ＳＡＴＵＲＮ　ＭＡＧＡＺＩＮＥ」ソフトバンク、八月一日号　三遊亭円丈師匠ザナドゥを語る

一九九八年

「週刊新潮」新潮社、二月二十六日号　ＴＥＭＰＯ　パスタイム　狛犬研究／「東京かわら版」五月号　インタビュー（聞き手：大友浩）／「建築統計月報」建築物価調査会、六月号　エラくてスゴイ生き物たち

一九九九年

「サライ」一月一日号　初詣のもうひとつの楽しみ　狛犬巡りはやめられない（林丈二、藤倉郁了との対談）／「民族芸能　３９５号」民俗芸能を守る会、五月　新作は愛！　新作よもやま話18

二〇〇〇年

「生きがい研究」長寿社会開発センター、三月号　国際シンポジウム　ねんりんのパワーを生かす新時代　情報化・国際化時代を生きる（ジャック・ピロー、矢澤修次郎、大熊由紀子、マルチン・ラガグレン、飯窪長彦と）／『参道狛犬大研究　東京23区参道狛犬完全データ』日本参道狛犬研究会編　四月／「ミマン」文化出版局、四月号　50代は学びどき　三遊亭円丈　全国の狛犬を訪ねて4000社余り。独自の分類法を確立し、研究会を結成。／「週刊新潮」六月八日号　TEMPO　パスタイム　狛犬研究／「サライ」十一月十六日号　パソコンで年賀状を作る　落語界一のパソコンの達人、三遊亭円丈が作る「21世紀の年賀状」

二〇〇一年

「LB中洲通信」一月号　三遊亭円丈、21世紀に向かって吠える！　CD制作に取り組む円丈師匠／「東京かわら版」八月号　インタビュー（聞き手：大友浩）

二〇〇二年

二〇〇三年

「週刊実話」日本ジャーナル出版、二月二十日号　旬people　創作落語の三遊亭円丈がNYヤンキース松井秀喜を大予言／『笑芸人　VOL．10　特集：落語大好き！』白夜書房、四月　笑芸人極め付き新作落語寄席　三遊亭円丈「悲しみは埼玉に向けて」いまの「北」ブームをスルドク予見した悲しい爆笑落語。／『TVカルチャー・インタビュー・マガジン　ハッピー・カルチャー　VOL．1（双葉ムック）』双葉社、十一月　Styleは選ばない、もんね〜。

二〇〇四年

『笑芸人　VOL．13』一月　乾貴美子の養女になりたい／「週刊文春」二月二六日号　超実践的家計相談（5）三遊亭円丈　落語家の収入と年金と老後／「新潮45」新潮社、三月号　被写体に恋して（3）三遊亭円丈の狛犬／「一個人」KKベストセラーズ、四月号　人生の達人が教える定年後の愉しみ方　三遊亭円丈さん　狛犬研究　人が気づかないところに、人生を楽しむタネを転がっている／「男の隠れ家」あいであ・らいふ、九月号涼味を手繰る大人のそば処　湯島「池の端藪蕎麦」藪伝統の黒っぽいそばと辛いそばつゆ。常連の三遊亭円丈師匠が藪蕎麦の魅力を語る。

二〇〇五年

『落語ファン倶楽部　VOL．1』白夜書房、七月　発表！　これが新作落語のニッポンA代表イレヴン　三遊亭円丈（渡辺敏正）／「毎日が発見」十二月号　何でもできる簡単プリンタで写真年賀状がすぐ完成！

二〇〇六年

『蘇るPC‐8801伝説　永久保存版』アスキー、三月　嗚呼！わが青春のPC‐88／**『名古屋人の真実（朝日文庫）』朝日新聞社、五月（※『雁道』に『ファイナル雁道』の一部を追加）**／『ユーザー』マイクロマガジン社、六月号　サバッシュの生みの親　三遊亭円丈師匠PC・ゲーム・インタビュー／「Shi‐Ba」辰巳出版、七月号　三遊亭円丈さんのMy　Dog！　My　Style！／「散歩の達人」交通新聞社、十一月号　寄席ばイイのに！（8）今月のお題　三遊亭円丈師匠

二〇〇七年

『落語ファン倶楽部　VOL．3』二月　師弟の肖像　三遊亭円丈　白鳥／『師匠噺』浜美雪　講談社、四月（二〇一五年　講談社＋α文庫）※インタビュー所収／『落語ワンダーランド登龍門』ぴあ、四月　特別対談2「古典やるなら新作やれ！」（三遊亭円丈・柳家喬太郎）・「この人この一席」三遊亭円丈「グリコ少年」（稲田和浩）／「サライ」九月二十日号　サライ流「釣り大全」／「週刊新潮」十一月八日号　TEMPO　マイオンリー　狛犬巡り

二〇〇八年

「一個人」五月号　落語噺家最強列伝　落語はいつも新しい！「新作落語」噺家の系譜

二〇〇九年

『落語ファン倶楽部　VOL．7』六月　総力特集　これぞ落語のテキスト　六代目三遊亭圓生　てへっ！　落語家が語る「圓生、その芸」三遊亭圓丈　直弟子が明かす、三遊亭の伝承風景／**『ろんだいえん　21世紀落語論』彩流社、六月**／「東京かわら版」七月号　インタビュー（聞き手：稲田和浩）／「毎日が発見」十二月号　冬の

痛みは今年のうちに手を打とう！　正座ができなくなってしまった噺家・三遊亭円丈師匠の「ひざ痛克服の記」

二〇一〇年

『5人の落語家が語る　ザ・前座修行（生活人新書）』稲田和浩、守田梢路　一月　※インタビュー所収／「週刊新潮」二月十八日号　血戦のバレンタイン　円楽死後3カ月で高座対決に発展した「三遊亭円生」襲名争い／「正論」産経新聞社、三月号　鳳楽くんの円生襲名に異議あり！　落語家の名跡はいったい誰のものなのか。私物化した円楽さんに物申す（聞き手：フジテレビアナウンサー塚越孝）／「アサヒ芸能」三月四日号　落語家の「笑い袋」三遊亭円丈（浜美雪）／「週刊文春」四月一日号　ホリイのずんずん調査（732）7代目円生を争う2人の落語家（堀井憲一郎）／「週刊新潮」四月一日号　TEMPO　エンターテインメント　「円丈」圧勝でも混迷する「円生」後継争い／「週刊大衆」四月五日号　落語界騒然　故・円楽が残した「負の遺産」がバトルに発展「大名跡・三遊亭円生」襲名で発火　直弟子・円丈VS孫弟子・鳳楽マジ喧嘩／「週刊現代」四月二十四日号　人生の相棒（27）三遊亭圓丈　ろっきぃ（柴犬・メス）ミッキー（雑種・メス）オンナ同士の微妙な関係／「散歩の達人」六月号　踊り出すよな極楽ダウンタウン　千住・町屋　奇才・円丈師匠のエキセントリック千住ばなし／「週刊新潮」六月三日号　TEMPO　エンターテインメント　「円生」襲名騒動は「円窓」で決まりというオチ／『落語ファン倶楽部　VOL．9』七月　三遊亭圓丈　七代目圓生襲名問題にもの申す／「正論」七月号　緊急インタビュー　結局どうなる？　円生襲名　円窓も名乗りを上げ混沌とする大名跡の行方落語家・三遊亭円丈（聞き手：フジテレビアナウンサー塚越孝）／「週刊大衆」八月三十日号　芸能かわら版　まだ終わらない！〝円生〟襲名問題／「波」新潮社、九月・十月号　寿限無の言い分　三遊亭円丈（前・後）（吉川潮との対談）／「週刊新潮」十二月二日号　TEMPO　エンターテインメント　ヘボ落語のように締りがない「円生」襲名騒動／『落語ファン倶楽部　VOL．11』十二月　よくわかる落語家カタログ123名

二〇一一年

「文藝春秋」文藝春秋、一月号　もう1人の家族　ペットと私（4）　三遊亭円丈（噺家）食事は一緒に／「週刊ポスト」十月二十一日号　噺家のはなし（35）古典を封印して新作を量産「革命児」三遊亭圓丈／『落語ファン

倶楽部　VOL. 14』十一月　総力特集SWA　活動休止するSWAにメッセージ　三遊亭圓丈／『新作落語傑作読本（1）いま、最もおもしろい噺　2011爆笑編（落語ファン倶楽部新書）』白夜書房、十二月　※『肥辰一代記』所収／『待ってました！　花形落語家、たっぷり語る』吉川潮　新潮社、十二月　※インタビュー所収

二〇一二年

「週刊ポスト」四月二十日号　特別読物　私の上京物語　あの日、あの時、東京はただ大きくて眩しかった　煮干し5匹で1週間、ナメクジを煮て食べたこともある極貧生活　家業の写真館を継ぎたくなかった／『新作落語傑作読本（2）いま、最もおもしろい噺　笑いと哀愁編（落語ファン倶楽部新書）』十二月　※『わたし犬』所収

二〇一三年

「文学」岩波書店、三月・四月号　特集＝三遊亭円朝　文学のひろば　大円朝ってどんな人？／『三丁目の落語　夕日が似合う新作落語　なつかしい人たちと新作落語で出会う！』「三丁目の落語」編集委員会・編　講談社、三月　※『グリコ少年』所収／『**落語家の通信簿（祥伝社新書）**』**祥伝社、十月**／「週刊朝日」朝日新聞出版、十一月十五日号　新書の小径　三遊亭円丈『落語家の通信簿』祥伝社新書　現役の落語家が同僚批判（青木るえか／「東京かわら版」十二月号　インタビュー（聞き手：佐藤友美）

二〇一四年

二〇一五年

「週刊新潮」六月二五日号　私の週間食卓日記（879）三遊亭円丈　朝食後稽古しながら家の中を4000歩

二〇一六年

「母の友」福音館書店、一月号　老いの話　年をとっていくこと／『**円丈落語全集1**』**円丈全集委員会編　クエスト、九月**／「てんとう虫」UCカード、十一月号　落語繁昌！　師弟対談　三遊亭円丈×三遊亭白鳥

二〇一七年

『**円丈落語全集2**』**円丈全集委員会編　クエスト、九月**／「週刊朝日」十一月二十四日号　平成夫婦善哉（194）

三遊亭円丈・大角ユリ子夫妻／『点線面　VOL．4』ポンプラボ、十一月　巻頭特集　足立区の誘惑　※インタビュー所収

二〇一八年

『師匠、御乱心！（小学館文庫）』小学館、三月／「週刊ポスト」六月二十九日号　落語の目利き（38）三遊亭圓丈　復活した「実験落語」で73歳の新作ネタ下ろし（広瀬和生）／「AERA」朝日新聞出版、八月二十七日号　落語は新作こそ面白い　落語の原点　新作を楽しむ、対談　三遊亭円丈×柳家喬太郎

二〇一九年

二〇二〇年

「週刊現代」十一月七日号　あなたがいたから、私は生きてる　5代目三遊亭圓楽　仲違いは、悪いことばかりじゃない

二〇二一年

「散歩の達人」六月号　赤羽VS北千住　三遊亭円丈と落語と北千住

二〇二二年

「望星」東海教育研究所、三月号　インドの深夜バスで円丈を聴く（佐藤康智）／「東京かわら版」六月号　追悼　三遊亭円丈／「波」新潮社、九月号　今日も寄席に行きたくなって（33）人々、円丈を語る（南沢奈央）／**『円丈落語全集3』DU　BOOKS、十一月**

刊行年月不明

「Ｂｅｔｗｅｅｎ」ＭＡＸＦＡＣＴＯＲ（広報誌）「ＴＡＬＫＩＮ，ＴＲＩＡＮＧＬＥ　ＨＥ　ＳＨＥ　ＨＥ」（三遊亭円丈・柳亭小燕枝・ポーラ・リフ）「月刊ドラゴンズ」三遊亭円丈の頑張ろみゃ～ドラゴンズ

三遊亭円丈（さんゆうてい　えんじょう）

本名、大角弘（おおすみ　ひろし）。1944年、愛知県名古屋市出身。出囃子は『官女』。高校時代より落語家を志し、明治大学文学部演劇学科中退後の1964年、三遊亭円生（六代目）に入門。「ぬう生」となる。1969年「ぬう生」のまま二ツ目昇進。1978年、6人抜きで真打昇進、「円丈」を襲名。渋谷ジァン・ジァンにて新作落語の会「実験落語」を主宰。子供の頃に食べたお菓子の思い出を語るノスタルジックな落語『グリコ少年』、身に覚えがないまま罪を裁かれる男を描く不条理落語『わからない』、埼玉ディスリネタの元祖『悲しみは埼玉に向けて』など、既成の落語の概念を打ち破る新作落語を次々と生み出す。1980年代はテレビCMや演芸番組、バラエティー番組でも活躍。1994年より放送の特撮ドラマ『忍者戦隊カクレンジャー』では講釈師役で出演。落語界に与えた影響は計り知れず、春風亭昇太や柳家喬太郎ら「円丈チルドレン」と称されるフォロワーを生む。多趣味で知られ、趣味の一つの狛犬研究は1996年に日本参道狛犬研究会を設立し、二対の狛犬を建立。パソコン／コンピューター・ゲームにも精通し、専門誌でゲーム評を連載、実際にゲーム制作も行なう。晩年は記憶力の低下に苦しみながらも、高座にタブレット端末や見台を持ち込み、台本を見ながら口演を続けた。最後の高座は2020年12月23日の国立演芸場「円丈百席を聴く会」。2021年5月に硬膜下血腫であることが判明し入院、治療開始。治癒したものの、その後肺炎を発症。高座復帰は叶わぬまま同年11月30日、心不全により死去。

円丈落語全集 3
新作落語を駆け抜けた革命児

初版発行　2022年11月1日

著　三遊亭円丈

編集　伊藤一樹（@RAKUGORECORD）
デザイン　高橋力・布谷チエ（m.b.llc.）

協力　伊藤正敏／落語専門レーベル「ワザオギ」

制作　筒井奈々（DU BOOKS）

発行者　広畑雅彦
発行元　DU BOOKS
発売元　株式会社ディスクユニオン
東京都千代田区九段南3-9-14
編集　TEL 03-3511-9970　FAX 03-3511-9938
営業　TEL 03-3511-2722　FAX 03-3511-9941
https://diskunion.net/dubooks/

印刷・製本　大日本印刷

ISBN 978-4-86647-183-9
Printed in Japan

本書の感想をメールにて
お聞かせください。
dubooks@diskunion.co.jp

DU BOOKS

落語レコードの世界
ジャケットで楽しむ寄席演芸
伊藤一樹 著　長井好弘 解説

掲載枚数700枚以上！　眺めて楽しい、聴いて痛快！　落語・寄席演芸のレコードを集めた初めての本！　音盤の溝に刻まれた名人芸・名録音を紹介。篠山紀信が撮り下ろした表情豊かな三遊亭圓生、山藤章二が描く味わい深き古今亭志ん生、立川談志の若き日の勇姿、“星の王子様”三遊亭圓楽の甘いマスク…etc、“色とりどり”のジャケットの数々。林家木久扇師匠、推薦。

本体2800円＋税　A5　328ページ（オールカラー）

昭和のテレビ童謡クロニクル
『ひらけ！ポンキッキ』から『ピッカピカ音楽館』まで
小島豊美とアヴァンデザイン活字楽団 著

ビートルズも、テクノ歌謡も、ラップも、『ポンキッキ』で知った!!
日本最大460万枚ヒットとなった「およげ！たいやきくん」など、ヒット曲を量産した、音楽ディレクター小島豊美（演芸評論家・小島貞二氏の子息）がはじめて語る、500曲余の傑作曲が生まれた背景をまとめた永久保存版。佐瀬寿一、長谷川龍、ダディ竹千代ほか、インタビューも収録。番組にまつわる音楽データも満載。

本体2500円＋税　A5　400ページ

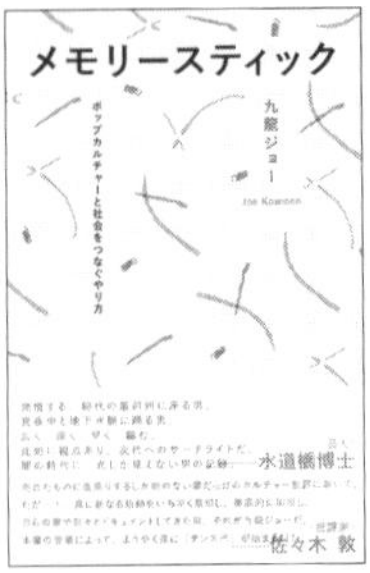

メモリースティック
ポップカルチャーと社会をつなぐやり方
九龍ジョー 著

落語や歌舞伎など伝統芸能に潜むポテンシャル、インディペンデントな手法で世界を切り拓く音楽家や映画人、若者のリアリティを切り取る芸術家や演劇人たち、セクシャリティの隘路をゆく表現の数々、ネタとベタの虚実皮膜を扱うお笑いやプロレスの新しい潮流……など、ポップカルチャーを通じて社会の変容を描く。
推薦コメント：水道橋博士（芸人）、佐々木敦（批評家）

本体1600円＋税　四六変形　336ページ

パック・イン・ミュージック
昭和が生んだラジオ深夜放送革命
伊藤友治＋TBSラジオ 編著

深夜放送の伝説はここから始まった！
1967年から1982年まで、15年間放送された伝説の深夜ラジオ番組のオフィシャル・ブック。絶大な人気を誇った“金曜ナチチャコ・パック”の野沢那智＆白石冬美をはじめ、錚々たるパーソナリティーたちによって築かれた、深夜放送ブームの裏側にせまる一冊！

本体2500円＋税　四六　512ページ　好評２刷！